Narratori ◄ Feltrinelli

Paolo Di Paolo

Una storia quasi solo d'amore

© Giangiacomo Feltrinelli Editore Milano
Published by arrangement with The Italian Literary Agency
Prima edizione ne "I Narratori" marzo 2016

Stampa 🦁 Grafica Veneta S.p.A. di Trebaseleghe - PD

ISBN 978-88-07-03177-9

FSC
www.fsc.org
MISTO
Carta
da fonti gestite in
maniera responsabile
FSC® C021883

www.feltrinellieditore.it
Libri in uscita, interviste, reading,
commenti e percorsi di lettura.
Aggiornamenti quotidiani

IL RAZZISMO
È UNA
BRUTTA STORIA.
razzismobruttastoria.net

Una storia quasi solo d'amore

In ogni infanzia, a quei tempi, svettavano ancora le zie... Come fate che esercitano il loro influsso su un'intera vallata senza mai scendervi.

WALTER BENJAMIN

Eravate bellissimi. Soprattutto verso sera, sfiniti dall'ultimo tentativo di ripetere la stessa battuta. Con rabbia, dicevo, con più rabbia. Solo allora andavate a pescarla dov'era giusto, in fondo, in un posto buio tra fegato e stomaco che non c'entrava più niente con la recitazione, ma con voi sì, con voi uno per uno, e con le giornate storte, le umiliazioni, i genitori, i fidanzati, l'esercito degli stronzi in genere. La vostra vita. Veniva fuori – graffiata o stridula, da lontano – come doveva essere: anche dalla bocca di chi solitamente sbagliava tutto, di chi non sarebbe mai stato un attore – ed era chiaramente la maggior parte di voi.

Tutta la bellezza stava nello sforzo e nell'illusione, nelle vostre schiene sudate, nel sudore stesso che evaporava, rendendo quella sala intima come uno spogliatoio: ciò che dall'inizio volevo che fosse. Il passato e il futuro erano, per voi, ipotesi prive di fondamento, inopportune come certe madri apprensive che vi aspettavano fuori. Avrebbero chiesto, prima ancora di mettere in moto, com'era andata. Il tono stupido con cui lo si chiede dopo una prova qualunque. E in fondo sì, lo era. Erano anzi, come si dice a teatro, le prove. Di che cosa? Di altre, avrei detto, possibilità di essere. L'enfasi ridicola delle mie lezioni! Comunque: la possibilità di slegarsi dalle abitudini, di diventare, secondo i casi, più infantili o più adulti. Diversi: mentre prestavate attenzione a ciò che a scuola vi avrebbe fatto sbadigliare – una poesia di Prévert, l'*Antigone* di Sofocle. Mentre il corpo non sembrava più solo vostro: letteralmente scatenato, senza catene, vi sfuggiva. Sospiri lunghi, singhiozzi e gemiti, salti e abbracci. A volte c'era anche da eccitarsi, sempre c'era da piangere e da ridere. Prima piano, come un gorgheggio, come una finzione. Poi più forte, senza riuscire a smettere, una partitura di ah oh uh che decollava allegra e atterrava disperata, lasciando, sulla sedia al centro del palco, il rovescio di voi stessi.

Quando qualcuno fra voi andava via, era per paura più che per incostanza. Erica, le avevo fatto pesare, tu non sei venuta per due martedì di seguito. Sì, mi scusi. Dammi del tu. Sì, scusami Grazia, è che– Il problema sono gli esami? hai da studiare per gli esami? Sì, gli esami. Non ti interessa più recitare? Sì che mi interessa. Erica è riapparsa un paio di volte, poi niente. Sono stata sul punto di mandarle un messaggio, ho chiesto a voi di farlo, lei ha dato risposte evasive. Nino ha detto che qualcosa l'aveva turbata. E cosa?, ho chiesto. La scena in cui doveva baciarmi. Vi siete messi a ridere. Chiara ha detto: non è che baciarti sia questo gran turbamento. Massimo ha detto: sei il solito coglione.

E sì, Nino era fra voi il più simpatico e il più coglione. Ma è rimasto serio. Io l'ho sentita che tremava, ha detto. Le ho posato una mano sul fianco, e ho sentito. Le sue labbra erano serrate. E poi non so, sembrava triste. Una che vuole scappare. Forse non bisognerebbe– Forse non bisognerebbe cosa?, ho chiesto. Non bisognerebbe forzare le persone, ha risposto.

È stato il primo scontro. Non mi pare di forzare nessuno qui dentro: si tratta di recitare, fine. Sarebbe forzarvi, se fossimo in una piscina, chiedervi di fare quindici vasche a dorso? Non ha risposto. Ho continuato. Invece delle vasche o degli addominali, qui ci dedichiamo a un altro tipo di eserci-

zi, chi non se la sente può andare. E Nino, ascolta. Nessuno
ha bisogno di te come difensore.

A volte c'era chi, dopo un provino andato male, tornava
con il rancore. Ho seguito tutte le tue indicazioni, aggiungeva, non è servito, non sono piaciuto. Prova a rifarmelo come
l'hai fatto davanti agli esaminatori, lo sfidavo. Avrei dovuto
dirgli: non sei portato. Quello però si piazzava lì, concentrato
come poche altre volte, e faceva l'inizio del secondo atto,
quando Macbeth parla alla sua spada: non ti stringo, eppure
ti vedo sempre – e a questo punto fingeva proprio di sguai-
narla, la agitava davanti al viso dicendo: i miei occhi son fatti
zimbello degli altri sensi. Era ispirato quanto goffo. Mesi di
dizione non erano bastati a chiudere la o di ancora, quando
diceva: io ti vedo ancòra. Lo fermavo: basta, dicevo, la prossima volta preparati un altro monologo. Mi guardava malissimo. Da come si asciugava il sudore delle mani sui pantaloni,
capivo che si sarebbe arreso.

Vi invidiavo soprattutto le estati. Andavate incontro a giugno come a una promessa, senza il ricatto del futuro e senza lasciarmi intuire – da un gesto, da un grazie più convinto – se sareste tornati e come. Ero quasi certa che due o tre fra di voi, nel gruppo, avrebbero proseguito il corso, ma non chiedevo: aspettavo. Se smentita, cercavo le ragioni di quella diserzione: che cosa non aveva funzionato? Ero stata io il problema? Dove avevo sbagliato? È strano, talvolta doloroso, come chi insegna finisca per giudicare, più che i suoi allievi, sé stesso, scoprendo di essere – all'esame più difficile – l'unico interrogato. Resta comunque assurda la pretesa di convincere tutti, di irretirli in un progetto di seduzione che, se riuscito fino in fondo, somiglierebbe a un plagio.

Dopo l'ultima lezione – l'estate avanzava su Roma con la luce sfacciata dei primi mattini senza scuola – diventavo cupa, mi guardavo indietro, pensavo. Avrei voluto scrivere (qualche volta l'ho fatto) a ciascuno di voi, per chiedervi impressioni, bilanci, propositi. Ma niente in verità avrebbe potuto placare la mia ansia di essere rassicurata. Avrei dovuto chiedervi conto di pomeriggi precisi, ma era impossibile che ne aveste memoria. Te lo ricordi, Mannelli, quando vi ho fatto correre in cerchio, a occhi chiusi, per quattro o cinque minuti? Tu li hai aperti all'improvviso, proprio mentre mi passavi davanti. Non ho saputo come leggere quello sguardo: cos'era?

Ti ricordi, Galieti, quando ti ho urlato non capisci un cazzo? L'ho fatto con una rabbia eccessiva, teatrale, che ha disgustato anche me. Scusami.

E tu ti ricordi, Di Mauro, quando vi ho chiesto di immaginare di essere davanti alla porta di casa della vostra infanzia? Tu hai risposto: non mi va di pensarci. Io ti ho detto: devi. Tu hai risposto: chiedi a qualcun altro. Io ho detto: ho chiesto a te. Mi dispiace.

Spesso vi chiedevo di recitare i sogni. In piedi, al centro

della sala, dovevate evocare a gesti lo spazio, gli oggetti di quel sogno. Nino ha chiesto: è una seduta di analisi? Ho risposto: sì. Così vi conoscevo anche da ciò che avevate in testa di notte, senza la certezza che foste sinceri. Senza saper interpretare.

Capita che mi torniate davanti proprio nell'affanno di rendere visibile l'invisibile, mentre vi sbracciate a simulare, a dare forma ai pezzi di un mondo senza logica.

Nino una volta, a lezione, aveva raccontato un sogno su un paio di patate. Che sogno è?, gli avevo chiesto. Le aveva dimenticate, aveva spiegato, in una cesta sotto il lavello: dalla buccia raggrinzita (aveva qualcosa di morbido, come rughe umane) erano spuntate antenne d'erba, ramificate e violacee. Sognavo di trovare le tubature – le disegnava a gesti, nell'aria – completamente avvolte da quelle radici senza terra e di non riuscire più a tagliarle via. Mi svegliavo con l'angoscia di dover recuperare settimane di mancate pulizie in una sola mattina. Era capace, recitando, di mostrare sul viso i segni di quell'ansia, che nella nuova casetta al 75 di Longfield Street, quattro minuti a piedi dalla fermata Southfields, si era spostata dalla fase REM alla realtà.

Londra, allora, colava dai rubinetti sporchi del bagno, si manifestava nell'odore di fritto che saliva al tramonto e ungeva l'interó quartiere. Riesco a vedere tutto. Qualche topo sfrecciava lungo i muri sul retro, come in un romanzo di Dickens. Nino usciva su Westbourne Grove senza avere nemmeno preso in mano lo straccio: però con un discorso in testa, molto chiaro, per la ragazza della gelateria. Sì, stava per dirle, torno a Roma, senza un motivo preciso, perciò non chiedermelo. Sì, le aveva detto invece, torno a Roma, c'è l'opportunità di fare un corso di teatro. Un altro? Non hai capito – le aveva risposto male –, stavolta lo faccio da insegnante.

Mentre lei stuccava il pistacchio sul solito cono per Dharshini del supermercato all'angolo, cercando di non rompere la cialda, lui aveva ripensato a una canzone. Un paio di mesi prima – dopo avere fatto l'amore, male, con una diciottenne belga piena di lentiggini (dettaglio che da solo bastava a travolgerlo di desiderio) – era passato davanti al Transport Museum. Un cantante di strada con chitarra e armonica aveva radunato una piccola folla, e questa canzone gonfiava il cuore di tristezza. Era perché aveva appena tradito la ragazza della gelateria? Senza volerlo fino in fondo. Non volendolo più, anzi, dieci minuti dopo averlo fatto.

Adesso non dirmi che non ti avevo avvertito, te l'avevo detto subito che a Londra avresti solo perso tempo. Gli ho detto così, e gli ho detto anche: per favore Nino, ora vedi di far fruttare questa occasione. Sei stato mesi fuori a far cosa? La mascotte di un ristorante greco, con tanto di fustanella e calzamaglia bianca. Mesi buttati a volantinare i menu.

Ridicolo e fiero, nel tardo pomeriggio, diceva di chiamarsi Panagiotis: finché non beccava un italiano, meglio un'italiana, meglio se giovane e carina, disposta a tenergli compagnia il tempo di una sigaretta. Allora si svelava, sorriso irresistibile, e via con i soliti numeri. L'accento romano, le battute, il consiglio sottobanco di cenare in una trattoria italiana trecento metri più avanti su Queensway, anziché da quel greco di merda. E le risate fra estranei, diventati complici in un paio di minuti: due grassoni di Bergamo a cui, in altre circostanze, non avrebbe saputo cosa dire. La madrelingua riapriva un codice di allusioni – e mortacci quanto è cara Londra.

D'altra parte, non aveva mai smesso di fare il buffone: era, tutto sommato, lo stesso che in terza elementare saltava facendo cri-cri, quando entrava il maestro Grilletto, di religione, o che al ginnasio aveva mostrato il sedere a due compagne di classe durante una gita a Sirmione, scandalo generale, e che bestemmiava nell'orecchio di Pacetti solo per farlo ridere. Niente aveva il potere di fargli cambiare umore, se non la resistenza altrui al divertimento. Detestava quelli che si tiravano fuori dalle occasioni goliardiche. Era stato capace di girare per il centro storico di Verona, una volta, con un carciofo in mano: lo avvicinava alla bocca dei passanti invitandoli a fare dichiarazioni sulla politica estera. Quelli intorno ridevano, e lui era soddisfatto. Questo gli piaceva: far ridere gli altri. Perciò si era iscritto al corso di recitazione, nemmeno troppo convinto: con la faccia da schiaffi di chi vuole dimostrare di sapere già tutto. E che è lì per metterti alla prova.

I primi esercizi che chiedevo di fare – disegnare cerchi con le braccia, nell'aria, saltare, fare oscillare la testa come un pendolo, muovere le dita, sempre nell'aria, su un'invisibile tastiera – lui li faceva tutti con un insopportabile sorriso sulle labbra. Se spiegavo che far ruotare i piedi – gambe piantate al suolo, mani sulle cosce – permette di esplorare *le tendenze contraddittorie della personalità dell'attore*, a quel punto Nino non si tratteneva più, esplodeva. I suoi singhiozzi senza suono contagiavano il gruppo. I più ligi cercavano i miei occhi per dimostrarmi che loro – guardami Grazia, cazzo guardami – restavano seri. Loro. Manuel, senza che nessuno gliel'avesse chiesto, se ne usciva con una paternale. Se ruoti verso l'interno ha un significato, attento Nino, se ruoti verso l'esterno un altro, diceva con la sua cantilena, la sua esse sudamericana: i piedi di un attore devono essere sicuri. Dove l'aveva sentita questa?

Bando alle chiacchiere, adesso mettetevi a saltare sul posto. Quando dico stop, dovete fermarvi all'istante. Questo – farli sudare, scatenare – allentava qualunque tensione. Guardavo Nino – più in alto, però, saltate più in alto! – un minuto più del necessario, del dovuto. Mi stupiva la naturalezza. Era tutt'uno con il proprio corpo – l'addome teso che restava scoperto nel salto, un braccio segnato, all'altezza del bicipite, da un'iscrizione indecifrabile, i piedi scalzi, pallidi e un po' tozzi, e anche i testicoli che, come i seni delle ragazze, ballavano dietro i calzoni in viscosa. Forse nessuno fra voi mostrava, nel salto, quella stessa disinvoltura. Ciascuno con la sua inutile preoccupazione. Capelli che cadono sul viso. Rotoletto di pancia che sporge sull'elastico dei leggings. Tintinnio metallico dei braccialetti. Culo grosso. Lui, invece, intero in quell'istante, sicuro, e isolato. Come prima e dopo la lezione, la musica alta nelle cuffie azzurre, la sua aureola di plastica.

Non era, non sarebbe mai stato di quelli che, tra voi, venivano da me a confessarsi. Ponendo questioni complicate, a volte perfino oscure: sulla vostra stessa vocazione, sul talento ("Io credo di averne, ma non riesco a esprimerlo"). Su un disagio che, diceva per esempio Chiara, mi scolla da me stessa. A volte, diceva, mi guardo come da fuori e non mi riconosco. No, no, non quando recito. Quando recito, diceva, mi sento perfino più vicina a ciò che davvero sono, o che penso di essere. Dico proprio quando vivo. Magari all'università, è appena finita una lezione, mi trovo con un gruppo di amici davanti alla macchinetta del caffè, dico una frase, una frase qualunque, e la mia stessa voce mi risuona come falsa, estranea. La voce gracchiante di un'altra, di uno spirito idiota che mi scuote mentre rido. Oppure: bacio un ragazzo in macchina, come l'altra sera, i vetri si erano un po' appannati, quanto bastava a non vergognarmi della sua mano sul mio seno, lo bacio, ecco, mi sforzo di baciarlo, e penso: questa non sono io. Lo penso proprio mentre lo bacio, diceva.

La mia vita, quell'autunno, era stata rimessa in moto dall'imprevisto trasloco di Teresa, venuta a stare da me. Teresa che nascendo – verso fine novembre del 1983 – mi aveva assegnato il ruolo, la parte principale in un'intera carriera di donna e di attrice. Zia solo a te posso dirle certe cose. Zietta ce ne andiamo a fare shopping da sole noi due. Zia vienimi a prendere (a notte fonda, fuori da una discoteca). Il tempo della confidenza si era chiuso a un passo dai suoi vent'anni, come un locale dopo una svendita. Uscita da scuola era come sbocciata – anche fisicamente, più che a quindici – e con lei nuove sicurezze. Non era da cento chilometri e poco più che mi parlava al telefono, ma da epoca a epoca: io ancora in quella dei trucchi che le regalavo di nascosto dalla madre; lei molto più avanti – dove dimenticarsi di me era facile come distrarsi, o sbadigliare. E adesso tornava: solida, bella, sorridente con me e gentile sempre – però distante, chiusa come un mistero.

Le mie giornate, prima del suo arrivo, giravano ormai quasi a vuoto, sfilacciate e pigre fino al tardo pomeriggio. Per me iniziavano quando gli altri si infilavano stanchi nei supermercati. Il corso di teatro due volte a settimana, il lunedì e il giovedì. Qualche lettura pubblica – incontri letterari, di solito: vecchie signore in vena di polemica, sotto una luce smorta, e qualche tipo un po' spostato, o forse solo eccentrico, che si sarebbe appropriato bruscamente del microfono. No, è evidente, non ero più un'attrice. Ma soprattutto: lo ero stata? e quando? Capitava che chiamassero, dal niente, registi di serie televisive (conosciuti mille anni prima: ricordavano forse di avermi corteggiata), mi offrivano un piccolo ruolo. Due giorni sul set, il tempo di ridare fiato all'autostima. Mi piaceva pensare, sapendo di mentire a me stessa, che Hollywood è piena di vecchie maestre sconosciute che insegnano ai divi a recitare. Sarei mai stata la signorina Collier di qualche futura star? La signorina Collier al cui funerale Marilyn Monroe si dispera. Una di cui qualcuno possa dire: mi ha insegnato a respirare, e mi è servito, e non solo recitando. Una che, da morta, faccia esclamare a qualcuno: oh accidenti, che ne sarà di Phyllis? La-signorina-Collier-era-tutta-la-sua-vita.

Lavorare in un'agenzia di viaggi nel 2012 – Teresa non lo diceva, ma si capiva benissimo – era quasi sconfortante. Ti entra l'egiziano che chiede il prezzo di un volo Roma-Il Cairo, e basta, solo il prezzo, sbraita perché è troppo caro e se ne va. Entra il rumeno che vuole un biglietto del treno per Pesaro, senza cambio a Falconara però. Perché è così costoso? Chiama qualcuno al telefono, si agita, alza la voce, chiude e decide di non comprarlo. Si forma subito la fila in uno spazio tanto piccolo – due banchi di legno alti, screpolati; dove la gente poggia i gomiti, il mogano è sbiancato; una preistorica stampante ad aghi che si rifiuta di lavorare come dovrebbe emette una specie di nitrito, un iiiii prolungato ma debole, quasi arreso. Entrano solo stranieri e vecchi. Tutt'al più, coppie molto indecise che progettano il viaggio di nozze. Tutti gli altri prenotano su internet, confrontano i prezzi, leggono le recensioni su TripAdvisor, non hanno bisogno di niente. Quelli che entrano nelle agenzie di viaggi invece hanno bisogno del biglietto stampato, non sanno cosa sia un PNR, chiedono sempre e più volte se devono timbrare, e se gli dici che no, non serve, loro ti rispondono: va bene, però per sicurezza io timbro lo stesso. Di solito, hanno superato i settanta.

Teresa passava le giornate così, a cercare di farsi capire: da gente ancora in difficoltà con la lingua italiana, da gente italiana con l'udito e i riflessi in avaria. Su una sedia girevole, spalle a un planisfero, faceva comunque ogni giorno, a modo suo, un viaggio. Questo non le dispiaceva. Se era fortunata, prenotando un tour di otto giorni e sette notti "Sulle tracce del Sultano" per due persone, finiva per immaginare, con gusto, la prima colazione in un albergo di Fès e il pranzo libero in un ristorante tipico della medina, o un pomeriggio a Marrakech, sulla piazza Jamaa el Fna, con i saltimbanchi, i venditori d'acqua, gli incantatori di serpenti. Possibilità di prenotare la cena in un ristorante tipico marocchino con supplemento di euro 44 a persona.

Fermo sul confine fra lo spazio buio fuori e la luce al neon della stazione Ostiense, Nino deve aver pensato di darsi un tono. Nemmeno troppo: il giusto. Con me, sì – che non lo vedevo da un anno e già gli avevo corretto una pronuncia. Si dice in tutti e due i modi, aveva precisato lui, forse non era vero. Comunque, ti supplico, non cominciare. Uno torna da Londra, con un bel diploma di recitazione in tasca, e – no, non l'aveva capito subito, quando gli avevo proposto di tenere un corso di teatro – deve trovarsi davanti un gruppo di vecchi.

"Laboratorio teatrale per la terza età, frequenza un giorno a settimana, lunedì pomeriggio, spettacolo finale a maggio."

Io dovrei fare lezione a *loro*?, aveva domandato, fingendosi sconvolto. Sgranava gli occhi in modo che sarebbe sbagliato non definire, adesso, teatrale. Il solito pagliaccio! E il punto non era che si sentisse o meno all'altezza del compito (ovviamente sì, per carità, si sentiva più che all'altezza); il punto era l'età media dei suoi eventuali futuri allievi. Sessantacinque, settant'anni: pensionati con un solo obiettivo – passare in allegria un pomeriggio a settimana. Distrarsi, sentirsi vivi.

Non ho capito che cosa ti disturba del fatto che siano vecchi. Bah, niente in particolare, anzi sì, una cosa: il fatto che resteranno dilettanti, che non hanno nessuna speranza di fare il grande salto. Piantala, gli ho risposto: quanti di voi, stronzetti di vent'anni, resteranno comunque dilettanti? Quasi tutti. Sai qual è la differenza? Che questi signori attempati non hanno più ambizioni. Zero. Nessuna. Fine. Tu non hai idea, ho aggiunto, di come questo sia liberatorio. Ogni possibilità è alle spalle, non hai più niente da aspettarti, se non quella manciata di giorni che restano e che non puoi contare. Salgono su un palcoscenico, fanno teatro per scherzo, *loro*. Con la stessa splendida, e vorrei dire maestosa, vorrei dire anche infruttifera... Infruttifera cosa?, ma che aggettivi vai a pescare, Grazia? Infruttifera, sì, concentrazione di un gioco fatto da bambini. Va bene, e con questo?, ha ribattuto. Con questo, tutto si rovescia: io con voi ero la vecchia fallita, tu e gli altri i germogli, le promesse... I maestri! Poco più che mummie, no?, a cui rubare qualche segreto, per poi fare meglio, di più, per andare più lontano. Stare in mezzo a giovanotti che studiano recitazione, o musica, o fanno gare sportive, significa pure sentire il loro fiato di acetone sul collo, vederli incarognirsi, diventare falsi e compctitivi come felini: brutto spettacolo, a volte. Pessimo. Nel tuo caso, invece, avrai alunni inoffensivi, e solidali fra loro – non foss'altro, per la loro fragilità ossea. Sarai sempre e comunque tu il germoglio, tu la promessa: il maestro di gente senza futuro. Non è divertente? Ha risposto: no, non lo è. Però rideva.

Ci ho pensato – mi aveva scritto per mail un paio di giorni dopo – e ho capito che mi hai scelto solo per un motivo. Il motivo è che come maestro di gente anziana non posso fare danni. Tutta quella storia del germoglio non mi ha convinto. Ho capito invece che un compito simile non include grandi responsabilità, si può prenderlo a cuor leggero: se questi vec- chi alunni non imparano niente, se *io* non riesco a insegnargli niente, non importa. Nessuno perde nulla. Devo solo intrat- tenerli, no? Fare il baby-sitter a una banda di pensionati. Co- munque accetto eh, aveva concluso, mi puoi assumere! L'ho chiamato, lui ha lasciato squillare il telefono a lungo. Scusa, non ho sentito la vibrazione, stavo cucinando. E quando hai imparato? A Londra. Bravo, e che ti cucini? Una pasta in bianco. Non mi pare un gran piatto. Ci aggiungo il tonno, al- la fine. Be', allora!, mi sono messa a ridere, e poi gli ho chie- sto: ti dispiace essere tornato in Italia? Non lo so se mi di- spiace, ha risposto, ora come ora mi va bene tutto. Ma la tua fidanzata londinese? Non è londinese, è romana. E comun- que non stiamo più insieme, credo. Che vuol dire *credo*? Che lei è rimasta a Londra, lavora in una gelateria, meglio così.

Si erano messi insieme e insieme erano partiti, più o meno con lo stesso bagaglio, con le stesse speranze. Londra: senza un motivo preciso, recitare lui, imparare l'inglese lei, e tanto bastava – mentre l'estate, finita nei giardini di Kensington, cominciava da qualche altra parte. Peter e Wendy non sareb- bero invecchiati mai, compravano robaccia al supermercato, giravano angoli di palazzi bruniti come grossi biscotti. Si te- nevano per mano a Trafalgar Square, turisti fra i turisti, men- tre i Beatles dalle T-shirt sorridevano per sempre e il vento arrivava a schiaffi come da una porta spalancata. Facevano, di solito, l'amore a inizio giornata: sembrava sempre mattina presto, era sempre già mezzogiorno. La luce grigia non riu- sciva a svegliarla, l'erezione di lui sì – le si accostava piano, lei restava con gli occhi chiusi tutto il tempo, come una sonnambula. E sì, va detto, complimenti al fegato dei vent'anni, che regge chili di fish&chips, di pizza collosa, di etnico non bene identificato, complimenti ai reni in grado di smaltire torrenti di birra e di Coca-Cola, ai polmoni, per il tabacco che hanno inalato, nell'ordine di grandezza di balle di fieno, e complimenti a tutto il resto, ti spostavi in cucina per friggere un uovo, colazione e pranzo insieme: l'uovo era quasi pronto, tu l'avevi ancora duro.

Si era avvicinata alla fine di una lettura pubblica. Pensavo volesse farmi i complimenti. Non mi sembrava di meritarli, avevo letto male e di fretta. Mi scusi se la disturbo, aveva detto – tesa e imbarazzata, teneva fra le mani un paio di fogli piegati e chiusi in una busta trasparente. Sono la mamma di un suo allievo, aveva detto. Ogni tanto succedeva: venivano a dirmi che i figli dovevano lasciare, che avevano i compiti, la maturità, dovevano recuperare in qualche materia. Spesso nascondevano una preoccupazione diversa: che i figli prendessero troppo sul serio il teatro, che si mettessero in testa di farne un mestiere e di cominciare la trafila dei provini per il cinema o per qualche talent-show. Non era questo il caso. Sono la mamma di Nino, aveva detto, non so se si ricorda di lui, è stato suo allievo. Certo che mi ricordo, cosa è successo? Oh, niente di grave, per fortuna, niente, lui è a Londra ormai quasi da un anno. Lo so. Ecco, sono un po' preoccupata. Per quale ragione? Mi pare che stia buttando il tempo, aveva risposto con lo sguardo fisso. Ma è giovane, ha vent'anni, non è grave. Non lo so, aveva ribattuto lei serissima. Ascolti, avevo aggiunto, bisogna lasciare ai figli la possibilità di sbagliare. Forse è vero, ma ascolti, aveva ripreso lei, io le lascio il curriculum di mio figlio, eccolo, è in questa busta, non è un granché, ma se lei avesse sotto mano una cosa per lui, una cosa che possa fare qui, gliene sarei grata, mi scusi, mi vergogno molto, forse non avrei dovuto, se lui lo sapesse mi ucciderebbe, ma sa, siamo andati a trovarlo a Londra qualche settimana fa, e... ha capito.

In cima al curriculum, Morante Nino, nato a Roma il 29 giugno 1990, diverse esperienze lavorative "a titolo gratuito", conoscenze informatiche generiche, lingue straniere: inglese, buone capacità. Non so se posso fare qualcosa, avevo detto stringendole la mano. Quella di lei, sudaticcia, aveva stretto forte. Sì, va bene, l'esperienza all'estero, la lingua, tutto vero, ma se devi stare a Londra per fare volantinaggio, allora fallo sotto casa.

Siamo circondati, ha detto. Non lo vedi? Ci sono vecchi dappertutto. Se manchi per un po' dall'Italia, al ritorno ti salta subito all'occhio. Seduta accanto a Nino in un vagone della metropolitana, mi sono guardata intorno. Una signora anziana sgrana gli occhi, chiede al marito se ha sentito – hai sentito? –, forse lui ha sentito ma dice comunque no, hai sentito?, ripete lei, quella ragazza ha bestemmiato. È sconvolta. Noi ci siamo guardati, evitando di scoppiare a ridere. Sono dovunque, ha ripetuto lui. È un assedio. Rallentano le file al supermercato. Le creano, quando sono al volante. Perdono le chiavi al cinema, o credono di averle perse, e le cercano durante il film. Non vedono le scale, e lo dicono a voce alta. Scuotono la testa davanti a ciò che trovano indecente, ovvero quasi tutto. Indossano camicie che hanno ormai compiuto quarant'anni. Gli ho detto: anche se ti sembra impossibile, irreale come un film di fantascienza, toccherà pure a te diventare vecchio. No, no, io non mi ci vedo. Invece io ti ci vedo, sì, che esci di casa con le macchie sul maglione scuro, con la barba fatta male sul collo, baffi di gatto che spuntano dal colletto di camicie, che avranno – anche le tue, a quel punto – compiuto quarant'anni. Ti ci vedo, sì, un giovedì di novembre del 2057, a fine giornata, che attraversi questo ponte sul Tevere. Il vento ti porta via il cappello. Lo rincorri, ti metti a ridere. Perciò ecco, qui c'è un uomo di sessantasette anni che ride. E quell'uomo vecchio sei tu. Il cappello è sempre un passo oltre i suoi piedi, lui ride e non riesce a smettere. Si ricorda dei piccioni: quando popolavano le piazze delle città. Così umili e così sudici. Non pensa di essere diventato vecchio, non ancora. Pensa invece: non ho più niente da rincorrere. Sì, a parte un cappello fuori moda che balza in avanti proprio come un piccione braccato. Ride e respira, ah, uh. Nient'altro. Voi non sapete quanto si vive leggeri senza più ambizioni.

Meglio di chiunque altro, parlava di lui la cronologia di Google. Per tenere il filo delle sue nuove settimane italiane, c'era tutto il materiale necessario:

affitti roma zona stazione termini – ad. la fermata metro manzoni in stabile con servizio di portineria... nel famoso quartiere di san lorenzo, in posizione centrale proponiamo in locazione una graziosa soluzione immobiliare, 55 mq – un tram che si chiama desiderio teatro – dramma scritto dal drammaturgo americano tennessee williams il debutto avvenne a broadway il 3 dicembre 1947 per la regia di elia kazan – meteo roma – temperatura media 15° umidità 91% poco nuvoloso con possibili precipitazioni – palestra roma prezzi – trova le palestre più economiche e glamour di roma per fare fitness – gonfiore addominale – dieci buoni consigli per tenerlo a bada – arthur miller – raggiunse la fama con erano tutti miei figli – morte di un commesso viaggiatore del 1949 vinse il premio pulitzer – free porn movies – sandra milka's first time – (al minuto 21'36" entra in scena il secondo uomo ma Nino si annoia e passa a) repubblica.it – google.it – teresa campoli – campoli teresa – teresa campoli profili | facebook – immagini relative a teresa campoli –

Fra i Preferiti – in preparazione di una serie web che aveva in testa – aveva salvato decine di portali dedicati a sagre, feste patronali, rievocazioni storiche in costume. Solo nella regione Lazio, non si contavano. Sagra dell'uva cesanese. Festa della castagna a Monte San Giovanni. Sagra dei marroni a Rocca Massima. Fiera lumache e arrosticini a Civita Castellana. Pane Olio e Fantasia a Boville Ernica. Sagra della bruschetta a Monteleone Sabino. Festa dell'olio nuovo a Canneto. Festa della polenta a Lariano. Sagra del broccoletto a Roccasecca.

È andata così, con lei che dice: finalmente. Così, dal niente, e ha funzionato: come l'arco elettrico che si accende fra le estremità di metalli giusti e li scalda. Nel vapore della sera erano le vostre orecchie, o forse i nasi. Finalmente cosa?, ha chiesto Nino. Stava fumando lì a un passo. Che comincia a fare un po' freddo, ha risposto Teresa. Un minuscolo incidente della geografia e della storia, vorrei chiamarlo così: fra milioni di chilometri quadrati e di anni, lo stesso marciapiede, da questa parte dell'universo, un lunedì di fine ottobre, dodici minuti dopo le sette di sera.

Tu sei quello che fa il corso di teatro per la terza età? Sì, ha risposto Nino con un sorriso storto, sono quello. Intendevo se sei il ragazzo che tiene il corso di teatro. Sì, non ti sembro all'altezza? Che ne so, ha riso lei ripescando il telefono dalla borsa. Quando lo ha portato su, verso il viso, lui per la prima volta l'ha vista. Allora ha pensato una cosa stupida, una cosa da attore allenato ai monologhi d'effetto nei provini. Per fortuna non l'ha detta. La sua macchina delle moine – l'invincibile vocazione a fare il cretino con le ragazze – sembrava rimasta all'improvviso senza olio. La cosa era questa: prima mi è sembrato che avessi nel palmo una piccola luna. Fino a un mese fa, molto meno miele sarebbe bastato per tenere in piedi una conversazione con una sconosciuta, all'angolo davanti al supermercato indiano. Tanto, prima o poi veniva fuori che era italiano, e chiunque rideva.

Vuoi che ti diamo un passaggio?

Tu e chi?, ha chiesto lui, sorpreso. Io e mia zia, ha risposto lei. Così Nino, alla buonora, ha collegato questa ragazza alla sua vecchia maestra di teatro: scusa, ma tua zia come si chiama?

Dove l'hai parcheggiata la macchina, Teresa? Senza darle il tempo di rispondere, ho aggiunto che mi faceva male la gamba – dovresti saperlo, no? – con un tono così lamentoso e irritante che avrei meritato di essere piantata lì, a prendermi l'umidità serale di fine ottobre sulla gamba malandata e su tutto, questo sicuramente ha pensato Nino, mentre Teresa, come se non avesse sentito, ha indicato la Twingo rossa, malmessa, duecento metri più avanti. Allora, lo vuoi o no questo passaggio? Va bene, grazie.

In macchina, sul sedile dietro, Nino sembrava un bambino pronto a chiedere quando arriviamo, al centro fra nipote alla guida e me, che intanto avevo steso la gamba malconcia e tirato indietro il sedile con una spinta brusca, senza avvertire. Lui avrebbe voluto dirle: perché non lasci che tua zia prenda l'autobus? Lei gli avrebbe detto– no, niente. Comunque, durante il breve tragitto, da Monteverde giù verso viale Marconi, l'unica cosa che Nino aveva sentito con chiarezza – mentre la radio gracchiava qualcosa sul diluvio previsto per il ponte di Ognissanti –, ecco, mentre la Twingo rossa passava davanti alle facce di Shelley e di Gramsci dipinte su un muro, aveva sentito distintamente che non gli sarebbe dispiaciuto rivederla, la nipote di questa zia, nel frattempo concentrata a elencare i danni dell'umidità alle articolazioni.

Il segreto è partire sempre dall'improvvisazione. Buttate via Shakespeare e Čechov, prendete una parola qualunque, un oggetto, un luogo. Rompete il ghiaccio. Abbandonate ogni prudenza. Se vi dico urlate, urlate. Se vi dico piangete, pensate alla cosa più triste del mondo. Il gioco è questo: siamo all'ufficio postale, siete in fila. Lei è l'impiegata dietro al vetro. Dovete mettervi a discutere prima sulla lentezza della fila, tra di voi, dando la colpa ai dipendenti che lavorano male. Poi però deve accadere qualcosa, una frase buttata lì per caso che diventa una miccia, il pretesto per una lite, qualcosa sulla politica, vedete voi, qualcosa come: questi disservizi sono il risultato del bel lavoro che sta facendo il governo [*detto con tono sarcastico*]. Be', chiaro, se invece ci fosse l'opposizione andrebbe tutto meglio [*altrettanto sarcastico*]. E a questo punto scatenatevi: tirate fuori il peggio di voi, la frustrazione, il risentimento sociale, i luoghi comuni, i più gretti. Questa è una scena che, di solito, viene bene. Basta pescare dalla vita, dovreste farlo sempre, anche quando metterete in scena una tragedia greca. Dovete ricordarvi che c'è, deve esserci, una parte di verità in ogni recita, e una parte di recita, sì, una parte di recita in tutto ciò che fate veramente, anche se non ve ne rendete conto. Quando vi mettete a litigare per un parcheggio, alzando la voce: quello è teatro. Nelle sfuriate si vede bene, si vede meglio. Vaffanculo brutta stronza, brutto stronzo, e allora via, sbattono le porte, le sedie, scendono i bestemmioni, i silenzi lunghi, di ferro, interminabili. Tutto è pienamente nella logica dell'improvvisazione. Dammi la tua battuta, su! LEI [*con tono ironico*] Eh sì, d'altra parte il principe si ammazza di lavoro! LUI [*aggressivo*] Ti lamenti che sei stanca, però guarda caso hai passato il pomeriggio in palestra. A lei mancano le battute. Lui perciò approfitta, e rincara [*incalzandola*] Non rispondi, eh? La scena non è comica, almeno vista dall'interno, non c'è niente da ridere. Finirà così: entrambi escono di scena, abbandonano la cucina per chiudersi ciascuno in una stanza diversa, pensando più o meno le stesse cose. Come ho fatto. Come abbiamo fatto. Passa un'ora, ne passano due, poi uno lancia una battuta all'altra, di solito una frase legata a un fatto molto pratico, una questioncina neutra e incontestabile. LUI [*dall'altra stanza*] Non abbiamo niente in frigo, scendo io? LEI [*mugugnando*] E scendi, che vuoi che ti dica.

Per abituarvi a vedere il lato comico delle cose che facciamo, delle parole che diciamo, vi invito a rifare la scena scegliendo una sola vocale, la a, la u, e usando solo quella. Uh su, d'ultru purtu ul pruncupu su ummuzzu du luvuru! Ta lamanta ca saa stanca, parà gaarda casa haa passata al pamaragga an palastra. Scoppiavate a ridere, come bambini dell'asilo. Bene così. Se andava per le lunghe, era Nino a ribellarsi. Va be', adesso abbiamo capito, diceva con stizza, lui che di solito trovava sempre da ridere.

Nino, decido io quando interrompere un esercizio.

In pochi anni, Nino aveva fatto di tutto. A diciassette, già era animatore su una spiaggia di Montesilvano. Con frasi sceme dette al megafono, c'era da chiamare a raccolta la fascia di bagnanti fra i dodici e l'età sua: quelli che avevano appena smesso di sentirsi bambini lasciavano mamma e papà sotto l'ombrellone e correvano a riva come verso un'altra età. Lui era abbronzato da giugno a settembre, le ragazzine lo guardavano ammirate e parlavano di lui appena si allontanava. Le ciccione non smettevano di essere gentili, apparivano dunque melense e goffe. Di quelle davvero carine Nino incrociava lo sguardo in fretta, mentre loro lo alzavano dallo schermo del telefono, e se doveva succedere qualcosa – almeno baciarsi – doveva succedere entro la settimana di ferie dei padri. Accelerava chiedendo: ti va di prenderci una cosa da bere? L'appuntamento era però per forza di cose alle due di pomeriggio, la sua ora di pausa. Molte erano costrette a rinunciare, le madri le tenevano chiuse in stanza insieme al fratello piccolo e allo yorkshire: dove vai a quest'ora, con questo caldo? Quelle che si sottraevano al controllo avevano tette smaglianti. Ridendo, scuotevano i capelli bagnati. Allora piccole gocce d'acqua fresca gli cadevano sulla pelle pungendo come spilli. La formula rodata ma sincera partiva con un leggerissimo tremolio della voce: sai che [*pausa, tremolio*] eeeh mmmh sei veramente bella. Prima, diceva *carina*, ma una di loro, una volta, si era ribellata, e lui aveva archiviato l'aggettivo. Di solito, comunque, loro non rispondevano niente, sorridevano abbassando gli occhi, l'imbarazzo era autentico anche nelle più disinvolte e le investiva di una luce diversa, che cancellava i brufoli più in fretta di quella mezza settimana di mare. Creature sessuate al primo stadio del loro splendore, baciavano poi concentrate, in modo morbido e acquoso, e caldo. Senza la fretta di un dopo, senza nemmeno sentirne la necessità. Ad andare oltre le spingeva in caso lui, assicurandosi che sentissero bene, contro la pancia piattissima, quanto c'era da sentire. Faceva scivolare le mani dalla schiena alla zona gommosa del loro sedere e premeva un po': c'era chi rideva con malizia, chi niente, chi – per esempio Luna – metteva una mano fra sé e lui, come uno schermo. O così aveva capito. Però poi Luna aveva cominciato a muovere la mano, da fuori, senza varcare il confine di stoffa, lui mugolava un po', lei non faceva un fiato, erano nella cabina dei genitori di lei: che le avevano chiesto, andando a pranzo, di badare alla sorella piccola. Loro l'avevano lasciata a giocare con altri bambini, e dopo un po' l'avevano sentita che chiamava da fuori: Luna, Luna, proprio mentre Nino stava per venire. Lui nell'orecchio di Luna aveva detto shhh, non fermarti, e Luna aveva finto di non esserci, continuava a muovere la mano meccanicamente e pensava alla sorella che la chiamava da fuori, Luna, Luna, lui a quel punto aveva avuto come una scossa e gli era uscito un lungo ah, quasi dolente e afono. Lei aveva detto: io esco, tu resta qui un attimo. Lui le aveva detto: aspetta, mi serve un fazzoletto, e si era calato il costume. Lei aveva pescato un fazzoletto dalla borsa, senza guardare, poi si era voltata, e aveva fatto il gesto imprevedibile di chinarsi e di asciugarlo lei, in fretta e senza malizia, per fare presto. Lui era rimasto immobile, disorientato, lei aveva ripetuto: esco. Il tempo di riaversi e aveva sentito lei che lo chiamava, Nino, Nino, non trovava più la sorella. Così, l'aveva vista agitata e mortificata, trasfigurata in un'altra – bellissima e più adulta ragazza con il doppio dei suoi anni. Il finimondo: la piccola Gaia non si trovava, qualcuno aveva visto una bambina chiedere dove fosse un ombrellone rosso con dei pesci, segno che si era persa. I genitori erano già fuori di sé, Luna si era messa a piangere restando quasi senza respiro, Nino impietrito e muto. Passata una mezz'ora di panico, Gaia era già di nuovo fra i suoi, riportata per mano verso il bar da una ragazza bionda e alta che Nino non aveva evitato di squadrare. Con Luna tutto era finito lì, non rispondeva nemmeno più ai messaggi: la vergogna e la paura l'avevano incattivita. Comunque, dopo un paio di giorni sarebbe andata via, e Nino non avrebbe più pensato a lei. Al riparo da ogni senso di colpa, avrebbe ricordato con gusto solo il dettaglio dell'azzardo imprevisto nella cabina.

In generale, non aveva mai avuto grosse difficoltà con le ragazze. Era riuscito a corteggiarne una anche quando, per qualche mese, aveva indossato un costume da pulcino gigante in un centro commerciale. No, macché umiliante! In primavera si soffriva già il caldo, questo sì, però era tutto così divertente, tutto – lo stupore dei bambini che volevano toccarti, dai, fai una carezzina al pulcino, il ghigno degli adulti, l'aria di chi pensa: guarda che lavoro ridicolo. Lui se la spassava. Poteva fare facce assurde, da pazzo, riparato dagli occhioni dolci e dal becco di gommapiuma. La commessa lo accompagnava in camerino, lui la seguiva – lei con una camicetta bianca e una gonna corta pieghettata, lui che si trascinava goffo nel suo corpaccione giallo, tenendo in mano, come quella di un decapitato, la testa del pulcino. L'idea di stringerla a sé nel camerino, rimanendo vestito così, lo attirava: era il tipico, grandioso gesto da buffone. Vieni qui Mariachiara, fatti abbracciare dal grande pulcino, le aveva detto una sera a fine turno, lei era scoppiata a ridere, era stata al gioco. Non più di questo: sono fidanzata, gli avrebbe segnalato di lì a poco, senza un motivo preciso, forse solo per ricordarlo a sé stessa. Lui se ne faceva una ragione in fretta: la fabbrica delle ragazze produceva a getto continuo nuovi esemplari, bastava uscire per strada, era un vero miracolo.

Vi siete rivisti il lunedì successivo, più o meno alla stessa ora. Teresa mi aspettava fuori, Nino non si aspettava lei. Com'è andata? Diciamo bene, ha risposto Nino guardandomi, io ho sorriso, ho detto: se la sta cavando. Ma tu fai l'autista di tua zia?, ha chiesto Nino cercando gli occhi di Teresa, concentrati sul passaggio del tabacco dalla busta alla cartina. Ha fatto solo un cenno con le spalle, le labbra impegnate dal filtro. Poi, mentre accendeva, ha aggiunto: sì, anche l'autista. Nino avrebbe volentieri chiesto altro, che fai veramente, quanti anni hai – intorno ai trenta, sì, ma– e forse pure: sei fidanzata? Solo per sapere. Invece le domande ha iniziato a farle lei, è così, è una che fa tante domande e risparmia sulle risposte. Da quanto tempo fai teatro? Nella vita vorresti fare proprio l'attore? Adesso riesci a vivere con questo corso? Nino ha balbettato qualcosa, una volta tanto messo a disagio dallo sguardo di lei, fra il curioso e il severo. Si è sentito come a un esame, senza sapere bene su quale materia fosse interrogato, la sua stessa vita probabilmente, e comunque: non mi fare domande troppo difficili. Nella dozzina di minuti spesi per arrivare alla fermata della metro B, Nino l'ha provocata chiedendole se avesse qualcosa contro gli attori, se le stessero un po' antipatici. Un po', ha risposto lei guardandolo dallo specchietto, e l'ha chiusa lì. Per riempire il silenzio ha domandato a me se mettere in scena un testo di Arthur Miller mi sembrava una buona idea. L'ho preso per un tentativo di passare per colto. Miller?, ho detto, e come ti viene in mente? No, no, ci vuole una cosa più leggera, più alla portata. Una qualunque commedia degli equivoci: Marivaux, per esempio. Un testo con parecchi personaggi, e che faccia ridere. È rimasto zitto, indeciso se cercare all'istante su Wikipedia. Se l'è cavata dicendo: con un gruppo di vecchi non può essere una storia d'amore.

È buffo, sì. Dare consigli su viaggi che lei non aveva e non avrebbe, quasi per certo, mai fatto. I due futuri sposi l'avevano guardata con occhi prima fiduciosi, poi arresi. Lei per mezz'ora era andata avanti a proporre. Mauritius, sette notti e otto giorni, camere con vista sull'Oceano Indiano. Sette notti in Thailandia, mezza pensione. Una crociera sul Nilo, con gite emozionanti fra le dune del deserto, così aveva detto, pensione completa, prezzo per coppia sui tremila euro. Ma non è pericoloso? No, semmai escludiamo il Mar Rosso. Niente. Provava a rilanciare: vogliamo pensare a New York più Florida, più Repubblica Dominicana? un giro del Messico? No, preferiremmo una cosa più tranquilla. Dieci giorni a Miami? Posso consigliarvi un hotel fantastico, hanno un'isola privata a disposizione degli ospiti, raggiungibile con imbarcazione gratuita. Spendereste sui cinquemila tutto compreso. L'Africa non ve la propongo. O vi interessa? Hanno scosso la testa. Vogliamo fare una tipica cosa romantica? Parigi e Normandia? Non si decidevano. Vorremmo pensarci ancora un po', hanno detto guardandosi. Sono tornati a fine settimana dicendo che ci avevano riflettuto parecchio, ne avevano parlato a lungo, e che la cosa migliore era... Parigi, vero? L'avevo immaginato. No: restare in Italia. Così avrebbero fatto il loro viaggio di nozze in Sardegna, un bel quattro stelle a Porto Rotondo con piscina, stanze luminose e fresche. La colazione, comprensiva di torte fatte in casa, è servita in una caratteristica veranda con soffitto in legno.

A volte, mentre scorre le informazioni essenziali di un nuovo dépliant sul Marocco o sull'India, Teresa ha la sensazione che il mondo di cui parla ogni giorno sia fatto solo di piscine e alberghi vista mare, di cene, di bagni in camera, di aria condizionata. Ma c'è qualcosa di infinitamente più vasto del planisfero alle sue spalle, di infinitamente più complesso del movimento che fa con l'indice per mostrare a un cliente il tragitto fra Casablanca e Agadir, qualcosa che le sfugge. Dalla lettura di "Internazionale", dal novero di eventi colossali o semplicemente terribili di una settimana del pianeta Terra, le restano impressi dettagli piccoli, cose come

pinne di pescecane messe a essiccare al sole sui marcia-piedi di Hong Kong

elefanti morti dopo essere stati travolti da un treno diret-to a Chennai, India del Nord

risvegli di piccoli vulcani in Nicaragua

difficoltà della vita umana a Norilsk, Siberia, 400 chilo-metri a nord del Circolo polare artico, dove tra novembre e gennaio il sole non sorge mai

esempi di acconciature offerte da un parrucchiere di Pyongyang, Corea del Nord

un uomo ucciso da uno squalo al largo di Muriwai Beach, vicino ad Auckland, Nuova Zelanda.

La sua immaginazione si mette inutilmente in moto, e la-vora, lavora, la spinge dove non sarà mai. Ha troppe paure, e alle spalle poche vacanze all'estero, che ricorda come sogni faticosi. Per l'unico campo scout della sua vita, l'estate dei suoi undici anni a Madrid, mandava cartoline a casa con il conto alla rovescia, Ciao Mammina e Zietta qui tutto bene mancano sei giorni a quando torno salutatemi tutti e dite al mio gatto che gli voglio tanto bene.

Considera ancora tra le peggiori follie avere raggiunto il suo ex, Andrea, a Bruxelles, prenotando un volo low cost dall'oggi al domani, per parlargli – quello sì un incubo, con il mal di pancia per l'ansia e per il ciclo, scrosci di pioggia con-tinui e violenti.

Signore e signori, ecco a voi: gli esseri umani. La turbolenza è stata più lunga del previsto e per qualche minuto, a bordo del volo EZY4922, non uno fra i passeggeri è rimasto nel pieno possesso di sé. Tutti hanno perso, per poco, qualcosa: chi il controllo, chi una certezza, chi la speranza. Anche l'impenetrabile lettore di quotidiani del posto 11C nello sbalzo più violento ha ceduto, accartocciando il "Financial Times". Le cose non stanno andando bene, deve aver pensato, e per una volta non erano gli indici di Borsa. È stato quando la donna seduta davanti ha preso a guaire. Stringeva un fazzoletto fra i denti, sudava, ripetendo di continuo Dio, Dio, mamma. Lasciati a metà molti livelli di Candy Crush, blocchi di zucchero e meringhe non hanno trovato più resistenza, si sono moltiplicati spaventosamente, come i colpi di tosse di un giapponese capitato accanto all'uscita di sicurezza. Gli occhi di qualcuno sono diventati umidi; il giallo e il blu dei sedili si sono fusi nel verde di diverse facce. Un cumulo di sensazioni condivise fra estranei ha generato la loro alleanza imprevista: così, la preferenza per lo snack dolce dichiarata un'ora fa, la lingua, la provenienza geografica, le convinzioni politiche e religiose sono state quasi cancellate dall'ipotesi di un destino comune. Perfino le nevrosi, i tic e la sconvolgente quantità di difetti in dotazione a ciascuno hanno perso peso, mentre vacillava la confidenza nella statistica anche fra i viaggiatori più esperti. All'atterraggio, tutti sono scattati come giocattoli a molla, appena sganciate le cinture di sicurezza, clac, e ripreso il possesso di sé, tornando rapidamente a essere ciò che per un paio d'ore erano stati un po' meno. Interminabili minuti in cui hanno dimenticato gli impegni e diverse ottuse convinzioni, la presunzione è rimasta con il bagaglio a mano nelle cappelliere, l'uomo che invadeva lo spazio del vicino con il giornale aperto continua ad avvitare la fede all'anulare.

Dalla finestra di una mansardina Teresa ha visto sfumare place de la Vieille Halle aux Blés e il viso di Jacques Brel, che da un manifesto si era messo a cantare, però lei non lo sentiva, *Plus rien ne ressemblait à rien*, niente somigliava più a niente, ma lei stava piangendo e non la sentiva, questa canzone fuori tempo che diceva *De l'aube claire jusqu'à la fin du jour, je t'aime encore*, dall'alba chiara al tramonto io ti amo ancora, e comunque, a cosa sarebbe servito dirlo? Tanto lui non rispondeva né ai messaggi né alle chiamate, e lei non sapeva dove cercarlo: sono a Bruxelles per favore Andrea per favore per favore per favore, gliel'aveva scritto venticinque volte, aveva cenato con un waffel preso a un chioschetto per turisti, le era sembrato perfino troppo dolce, era salita in stanza che finalmente smetteva di piovere, si era addormentata vestita.

Cercata casa nel quartiere Esquilino, Nino si è trovato a dividerla con uno studente al primo anno di Ingegneria. La facoltà è a un passo, eppure raggiungerla è come scivolare in un altro secolo: a Roma un'epoca è questione di metri. Ma a Nino piace restare nel presente, nelle vie più simili a quelle che ha lasciato a Londra. Trova familiare il giro di muro basso, scorticato, via Manin angolo piazza dei Cinquecento. Qui i patrioti del Risorgimento hanno lasciato il nome a strade su cui di italiano resta poco. Si affacciano dalle targhe stradali e non riconoscono più il mondo. Non c'è un solo giornale ignoto all'edicolante bengalese. I negozi cinesi hanno allargato il giro. Altissimi ragazzi etiopi passano facendo schioccare come nacchere i loro misteriosi oggetti in legno. I venditori di ombrelli pakistani appaiono all'improvviso e dappertutto, ologrammi sorridenti alle primissime gocce di pioggia. Gli internet point hanno perso smalto in dieci anni, i turisti entrano per stampare carte d'imbarco e prenotazioni, poi trascinano le valigie verso minuscoli alberghi a due stelle scelti da troppo lontano. Le bancarelle di frutta e bibite, i supermercati piccoli e stipatissimi aperti fino a notte fonda, la vodka, i preservativi, le tavole calde pizza e kebab, i cartelloni dei ristoranti etnici, insegne universali per affamati senza pretese. Sale anche qui quell'odore di olio fritto a lungo che è l'alito del mondo, cancella confini, Natali e Pasque, non ti fa perdere anche quando ti sei già perso. Un McDonald's davanti a una stazione è l'unica chiesa di ogni miscredente, i pazzi e i derelitti entrano anche solo per pisciare. Santa Maria Maggiore, laggiù in fondo, è al confronto un'illusione, gli angeli in bronzo che vegliano il lungo sonno di papa Sisto V non hanno mai guardato fuori.

I pusher si confondono agli sceneggiatori e ai grandi registi del nuovo cinema italiano che pare affollino il quartiere (lui finora non ne ha incontrato mezzo). Sul marciapiede davanti alla Upim i barboni hanno una loro speciale grazia,

niente di casuale, una casa è una casa anche se è un marciapiede, ci vuole un po' di ordine, basta essere organizzati. Così, la sigaretta che una vecchia vestita di nero, allungando i
piedi scalzi e luridi verso la strada, fuma con gusto guadagna
qualcosa di solenne, anzi no, di dolce – sì, la dolcezza della
vita, il piacere di una sigaretta è dominio anche della miseria
nera, pensa Nino appena sveglio, e pronto come sempre a
fare colazione e pranzo insieme. L'avvolgibile nella sua stanza non chiude bene, non fino in fondo, così di primo mattino
entra quel tanto di luce che basta a svegliarlo, lui si gira
dall'altro lato, sempre con una puntura d'ansia: una mattina
su due teme di avere dimenticato un esame, o che sua madre
lo chiami per andare a scuola. Nino, sveglia! Ma dura poco,
pochissimo, e lui è già rientrato nei territori sicuri del sonno.

La sua parte di frigorifero è mezza vuota, mangiare dai cinesi a otto euro è conveniente. Capita che la fidanzata del futuro ingegnere cucini anche per lui, ma la cosa non lo diverte troppo, approfitta, certo, però Linda lo fa pesare. Si muove come una grossa foca – non è magra, ma nemmeno sproporzionata, pare anzi riscuota un certo successo, e proprio in virtù della stazza –, rassetta la cucina borbottando con l'aria della zia che riordina i giocattoli dei nipotini o restaura il salotto dopo la loro prima festa alcolica. Serve in tavola una matriciana, e mentre fa il piatto per Nino, lo interpella bruscamente: tu non ti cucini mai? non te la fai mai la spesa? In verità la dizione di Linda fa suonare la frase diversamente, con indebite sonorizzazioni: non di cugini mai? non de la fai mai la shpesa? Lui non reagisce, si limita a sorridere, ma vorrebbe dirle che sì, lo sa: lo so che sei qui per cucinare per il tuo amore, ma un etto e mezzo di spaghetti in più che ci perdi?, e comunque tra poco mi alzo, vado di là e vi lascio mangiare il dolce da soli. Dolce, poi! Il solito budino di plastica fusa. Allora, dalla sua stanza, li sente ridacchiare in modo insopportabile finché – è già successo – il riso diventa più convulso e si spegne, diventa il mugolio intermittente che li spinge sul divano anche con un certo spirito di sfida – rivolta a chi? In casa c'è solo Nino, che comunque non si turba e non li invidia. Aspetta che finiscano, passa in cucina, prende un bicchiere d'acqua, poi la spazzatura da portare giù. Allora li guarda ironico, senza malizia, solo per il gusto di smitizzarli, dicendo con gli occhi: non siete i primi né gli ultimi su questo pianeta a fare sesso, piantatela. Si ricorda di non avere un televisore solo in queste circostanze: di solito è lunedì o martedì, quando non esce, e allora gli torna in mente che fino a tre, quattro anni fa era quasi un videodipendente.

In un paio di storie che lui racconta benissimo ci sarebbe la prova di una vocazione precocissima, sostiene, da intrattenitore. Tuttavia, è difficile prenderlo sul serio quando dice che suo nonno – una specie di inventore – aveva svuotato un vecchissimo televisore con tubo catodico, l'aveva liberato di qualunque congegno interno, svuotato come un pesce, lasciando solo il telaio e lo schermo. Fissato su un mobiletto con le ruote, dell'altezza giusta per Nino nemmeno undicenne, gli consentiva di fare dei ridicoli e insensati assolo a uso dei parenti, cacciando il suo faccione dietro il vetro.

Buonasera a tutti, benvenuti a questa nuova trasmissione che va in onda dagli studi di via Carlo Pisacane, ora ci colleghiamo con Parigi per un importante aggiornamento. Parigi, mi sentite? Dev'esserci un problema, riproveremo più tardi. Ora passiamo ai fatti del giorno– e lì a una a una, spesso inciampando su sigle e nomi che non aveva mai sentito prima – soprattutto russi, cose come Minsk, Kgb, Medvedev – o usando il tono sbagliato, lieve, per tragedie immense, sciorinava notizie copiate dal Televideo o da Repubblica.it. La pazienza degli spettatori non era poca, se riuscivano a sorbirsi due telegiornali di fila, quello sgangherato dal vivo, in diretta dal salotto, e poi quello vero, che spesso era perfino peggio.

L'altra storia che Nino racconta sarebbe da psicoterapia, se fosse vera. Dice che a un certo punto, nei pressi della pubertà, l'aveva fatta finita con i telegiornali. Il televisore vuoto non trasmetteva più niente, un eterno programma senza parole come il vecchio segnale orario, un monoscopio del colore della carta da parati dietro il vetro. Finalmente, il nonno si era disfatto di quell'insensata prova materiale dell'ego del nipote. Il nipote, invece, aveva seguitato a trasmettere senza suono e senza schermo, i programmi andarono in onda per qualche anno ancora, a intermittenza, in un bisbiglio fra sé e sé somigliante a quello di chi parli con l'amico immaginario. Fuori tempo massimo però (erano già arrivati i primi peli sul

pube), ma continuava – nelle mattine d'estate, facendo il giro
in tondo del garage in bicicletta, andando a fare la spesa con
la lista scritta da sua madre –, continuava a dare il buongiorno e l'arrivederci ai suoi spettatori: benvenuti cari amici di
Big Bang – Che titolo sarebbe *Big Bang*? Non lo so, mi è venuto così –, a tenere un filo con loro, la piccola folla del suo
pubblico fantasma.

Ti sentivi molto solo? Dimmi la verità. Normale, dai, una
cosa normale. Sei sicuro?

È riuscito a farla ridere offrendole un panino. Teresa era arrivata puntuale fuori dal teatro, le avevo fatto sapere con un messaggio che avrei tardato. Si trattava di una interminabile sfuriata che aveva per vittima un ragazzo del mio corso. Nino era rimasto a tenerle compagnia. Aveva un panino con la frittata nello zaino – un'altra delle sue specialità, poche. Ne vuoi mezzo? Teresa aveva sorriso, nascondendo il moto di disgusto al pensiero di una rosetta rafferma e unta rimasta tutto il giorno nella sacca grigia da cui era stata estratta: con un gesto da mago, questo sì – il coniglio bianco avvolto nella carta stagnola. Allora, ti va?, ha insistito. Lei ha rifiutato una, due, tre volte. Al quarto no, Nino le ha messo il panino sotto il naso, e lei ha dato un morso. Non sa bene nemmeno lei perché, un minuscolo morso di pane e frittata che non le è sembrato male, oltretutto, poi basta, e ha iniziato a ridere e si è ricordata di un suo compagno di classe che si chiamava Zannoni, pareva un piccolo contadino, tutti gli ridevano dietro per le camicie da nonnetto e soprattutto per quei paninozzi che tirava fuori a ricreazione, avvolti nel tovagliolo di carta e nella pellicola con una cura infinita, commovente, almeno per lei sì, commovente, e dentro c'era la marmellata o la verdura cotta – cosa che suscitava negli altri un'ilarità cretina e senza motivo. Zannoni si faceva piccolo in un angolo e con i suoi grandi denti da scoiattolo si dava da fare, senza neanche troppa vergogna, solo un po' triste e molto lontano. Forse non ha il coraggio di dire a sua madre che con quei panini lo mette in imbarazzo, fra patatine e merende confezionate sembravano cibo preistorico, pensava Teresa. O forse no, non vuole nemmeno dirglielo a sua madre, non gliene importa niente. Una mattina gli si era avvicinata – lei che non gli aveva mai rivolto mezza parola – e l'aveva chiamato per nome, Marco – per tutti era solo Zannoni – e gli aveva detto: Marco, mi fai dare un morso? Le sembrava una cosa giusta da fare. Una cosa anche dolce. Lui non aveva risposto, era solo diventato rosso, e gliel'aveva offerto senza parlare, dalla parte intera. Era una delle cose più buone che avesse mai mangiato, a ricreazione e sempre. Grazie, gli aveva detto, grazie e basta, mentre lui dava un altro morso abbassando gli occhi.

Uscita dal ricordo, con un tono di confidenza che l'ha stupita, Teresa ha chiesto a Nino come stesse andando il corso. Bene, ha risposto lui a bocca piena, devo prenderci la mano, però bene. Questi alunni sessanta-settantenni sono esigenti, non credere, hanno le loro pretese, c'è sempre qualche vecchia acidissima che pretende, e non so nemmeno io cosa. La maggioranza, per fortuna, si lascia guidare. E comunque, sempre per fortuna, c'è tua zia che in queste prime lezioni non mi molla, sta lì come un falco, interviene, corregge, rilancia. Adesso formate un grande cerchio. Poi formate delle coppie. Dovete costruire un dialogo senza parole, fare la conoscenza dell'altro, vi mettete faccia a faccia, poi schiena a schiena, poi di nuovo faccia a faccia, stendete le braccia, fate coincidere i palmi delle mani. E tu li osservi, all'inizio straniti, perplessi, lasciarsi andare a gesti mai fatti. I più svelti sono quelli che hanno alle spalle centinaia di pomeriggi al centro anziani o serate di liscio, fanno gli spiritosi, ci mettono del loro. Non mi sembra un lavoro tanto diverso da quello del baby-club in un villaggio vacanze, e non è nemmeno detto che siano più disciplinati dei ragazzini.

Quando Nino ha detto baby-club, Teresa ha sorriso. Lui se n'è accorto e le ha chiesto perché. Perché sorridevi? Ha cominciato a raccontargli del suo lavoro, senza che lui chiedesse niente, avevo altri sogni, altre ambizioni, è andata così però – l'ha detto senza tristezza –, è andata che mi tocca far viaggiare gli altri, e assicurare che se scelgono quell'albergo, quella crociera o la settimana bianca, il baby-club c'è, e possono partire tranquilli.

È entrato da Borri, la libreria della stazione Termini, è andato dritto allo scaffale del teatro. Scorrere i titoli è bastato a riportarlo indietro di due o tre anni, al tavolo di un bar su cui leggeva le commedie di Goldoni con un amico calabrese appena trapiantato in zona Tiburtina e alle prese con la caparra per un seminterrato. Discutevano con accanimento sull'utilità della dizione. Tu come lo dici questo? Bisogna pronunciare salsa rosa o salsa roza, con la esse sorda o con la esse sonora? Poi il calabrese diceva prònto e orècchio, Nino diceva libbro e gnènte, e buonanotte.

Avevate l'aria di due che non avrebbero combinato mai granché – la puzza di sudore della felpa sintetica, la stessa barba folta dei vostri trisavoli ottocenteschi. La passione per le serie televisive, intanto, lasciava un po' di spazio alle prime nozioni di metodo Stanislavskij. A lezione mi tormentavate con domande sul personaggio da interpretare: le approvavo, sì, ma erano, posso dirlo adesso?, ridicole. Dove va Otello quando esce di scena accompagnato dal dubbio che comincia ad arrovellarlo?, domanda Stanislavskij. E voi allora: che sorta di rabbia è quella che Mirandolina prova verso Fabrizio?

MIRANDOLINA Andatemi a preparare un altro ferro, e quando è caldo, portatelo. FABRIZIO Sì, vado. Credetemi, che se parlo... MIRANDOLINA Non dite altro. Mi fate venire la rabbia. E così, la Mirandolina di quel remoto pomeriggio fingeva di stirare biancheria con gesti bruschi, lamentandosi di un vino di Borgogna, un maledetto vino di Borgogna che le aveva fatto male. Il camicione bianco di Mirandolina lasciava intuire le sue tette, Nino ragionava se la storia del ferro caldo non fosse un'allusione a qualcos'altro, senza il coraggio di chiedere conferma ad alta voce. Però era quasi sicuro. Poi MIRANDOLINA [*voltandosi con alterezza*] domandava al Cavaliere: che cosa vuole da me? Il CAVALIERE rispondeva: amore, compassione, pietà. Nino avrebbe risposto: uscire

49

stasera insieme. E gliel'aveva chiesto, senza girarci intorno, mentre lei si chiudeva il cappotto. Mirandolina aveva accettato, e alla seconda birra era lì che raccontava del ragazzo che vedeva a Roma, pur stando – tecnicamente, aveva detto – con uno di Milano, non proprio Milano, un posto in -ano dove non aveva mai messo piede. Sul suffisso aveva preso a ridere da sola, la bocca spalancata, il busto scosso come da singhiozzi, giù un sorso di tequila, e ancora risate. Mirandolina era a questo punto, per Nino, una macchia di luce chiara, un'apparizione euforica, che avrebbe ripreso contorni umani fuori dal locale, lui ancora un po' intontito, lei sveglissima. Adesso dovresti chiedermi di salire da te, aveva detto, un soffio alcolico sul naso di lui – che aveva detto sì, infatti, e l'aveva baciata. A casa tutto il resto, e poi, l'insolita delusione, che nemmeno la doccia aveva portato via, per qualcosa di veloce, troppo, e di facile, troppo, e di uguale, anche. Non c'era un dettaglio del corpo di lei che riuscisse a ricordare, né il giorno dopo né adesso, in fila alla cassa della libreria.

Ha comprato *Le false confidenze* di Marivaux, con un po' di fatica per individuare il nome dell'autore. A naso, scorrendo le prime pagine, gli è sembrato un testo elegante, vecchiotto, di maniera, con dentro Arlecchino e gente che fa inchini e piroette: "Abbiate la bontà, signore, di accomodarvi un momento in questa sala; la signorina Marton è dalla Signora, e non tarderà a scendere...".

Seduta in un angolo della sala prove, li osservavo. Nino e i suoi allievi anziani. Ecco il maestro giovane che si fa in quattro per guadagnare credito, si sbraccia, suda, indeciso fra serietà da manuale e aria sorniona. Cerca di piacere, sì, e con certe signore funziona subito, è il ragazzone simpatico, bello anche se fosse brutto. L'abisso che si spalanca fra la loro età e la sua è addomesticabile solo nella confidenza nonna-nipote. Oppure, nella leggera malizia con cui le alunne, a ghenghe di tre, quattro, parlano di lui. Protettive, impiccione, invadenti. Ciao ragazze, si salutano fra loro, e suona giocoso, meno caricato che fra cinquantenni. Sembrano appartenere a due specie diverse, Nino e la signora Perrotta, quando si prendono per mano, arrivano al centro della scena e improvvisano, leggendo dai fogli, un dialogo da *Casa di bambola*. Lui fa Helmer, lei fa Nora. Quando Helmer implora Nora di restare, la supplica di non andarsene e grida: Nora!, l'impressione è di verificare un'altra dimensione del tempo. Multiverso, teoria delle stringhe, qualunque cosa renda possibile un incontro fra la vedova Perrotta oggi, a settant'anni, lunedì 19 novembre 2012, e suo marito giovane, suo marito come poteva essere, com'era, nel 1961, fresco di sì sull'altare e di prima notte, prima di tutto il resto e del peggio. Fermo per sempre, lui, a quindicimila giorni dalla fine. Mentre alla signorina Perrotta non è permesso fare conti. E comunque, è irreperibile lei, sparita – quando, di preciso? – nella Perrotta adulta, nella vecchia di stasera, se non fosse per gli occhi (brillano verdi come allora), nel modo in cui dice e ha sempre detto "gioia mia".

Se le età fossero sempre visibili in noi, tutte insieme allo stesso momento, allora Nino potrebbe parlare diversamente alla vecchia signora che ha davanti: distinguere con precisione, nella vedova Perrotta, la signorina Laura – ancora così piena di speranze. E chiedere a lei, direttamente a lei, di ballare.

Una sera, dal niente, il signor Giancarlo ha tirato fuori Salvo Randone e Vittorio Gassman. Ha detto che era andato a vederli a teatro – quanti anni fa? – e che l'uno faceva Otello, l'altro Jago, si alternavano, una sera l'uno faceva Otello e l'altro Jago, e via così, entrambi di una bravura mostruosa. Allora Nino ha chiesto se di tutto ciò si trovasse qualcosa su You-Tube, qualcuno ha risposto: sicuramente, ormai lì si trova tutto. Il signor Giancarlo ha voluto chiedere a Nino se ne sapesse qualcosa, forse per metterlo alla prova. Se uno fa il maestro di recitazione, certe cose deve conoscerle, no? Nino ha risposto che Gassman sapeva benissimo chi fosse, aveva visto diversi film sia con il padre che con il figlio. Il signor Giancarlo si è innervosito: parlavo del padre, ovviamente. Lo so, ha detto Nino. Voi giovani non sapete mai niente, ma da dove venite? Dal futuro, ha sorriso Nino, ma il signor Giancarlo è rimasto serio, ha brontolato, ha detto che vantarsi di non sapere le cose non è intelligente, anzi, è proprio da scemi. Non mi stavo vantando di niente, ha ribattuto Nino. Non ho fatto in tempo a crescere che era già cambiato il secolo. Il passato non è solo roba da buttare via, insisteva il signor Giancarlo. Ho fatto un cenno a Nino per invitarlo a lasciar perdere, a non tirarla per le lunghe.

Fatto è che, lezione dopo lezione, i due hanno seguitato a pungersi, e nella penultima prima di Natale il signor Giancarlo ha domandato a Nino cosa pensasse delle ormai probabili dimissioni del presidente del Consiglio. Non è che seguo molto la politica, ha risposto Nino. Fai male, pensi che ti faccia onore? No, ma è così. Sono andati avanti per un po', con qualcuno intorno impegnato a farli smettere, mentre il grosso del gruppo si concentrava sul panettone. Mi fai girare i coglioni. La frase l'avevano sentita tutti, ma il signor Giancarlo l'ha ripetuta: mi fai proprio girare i coglioni. Poi è rimasto zitto per un po', nell'imbarazzo generale – lo sguardo di un padre deluso. Un vecchio e inutile padre deluso. Non le rispondo per rispetto dell'età, ha detto Nino, e così ha fatto peggio. L'altro, con la voce che gli usciva a fatica, ha iniziato una frase. Ai miei tempi, ha detto, e si è fermato lì, infastidito dalle sue stesse parole. Nino però, uscendo, ci ha pensato a lungo. Che cosa vuol dire di preciso? Quando, dove e perché finiscono i tempi di qualcuno? quanto durano? I miei, quali sono? Gli sarebbe piaciuto avere la risposta di Teresa, così ha pensato, le avrebbe domandato cosa pensava di tutta questa storia, ma alla seconda sigaretta lei non era ancora arrivata. Ma Teresa?, mi ha chiesto subito, vedendomi uscire. È raffreddata, stasera mi tocca l'autobus, ho risposto.

Voleva sentirla. "Come stai?" era diventata, per una volta, una domanda urgente da porre a qualcuno. Soltanto un raffreddore, certo, uno stupido raffreddore! Ma non poteva fare a meno di immaginarla: un maglione largo (senza reggiseno, forse), il naso arrossato. Ha tenuto in testa due o tre varianti della stessa frase da inviarle su Facebook, ha scelto la più spiritosa, poi ha aspettato. Nessuna risposta. Il silenzio se lo è spiegato con un'eventuale febbre, prima; ha smesso di pensarci per qualche ora; ci ha ripensato infine con fastidio. Il lunedì seguente, accertandosi che fosse guarita, ha aggiunto: però potresti anche rispondere. A cosa?, ha detto lei. Gli è sembrata distante. Lo era. Lui si è sentito invadente, e goffo. Ha lasciato perdere, le ha detto: allora ciao, buon Natale, piantandola lì, sulla porta del teatro. Tra i denti l'ha mandata a fanculo, prima di mettere a fuoco quanto fosse stato patetico. Aveva fatto l'offeso come un bambino, e questo era tutto. Di mezzo, adesso, c'erano le vacanze: l'avrebbe rivista fra venti giorni. Voleva inventarsi qualcosa, prima: per correggere l'immagine che aveva dato di sé. Era, come a teatro, la sfida della sera dopo: fino all'ultima replica, hai l'occasione per fare meglio e non passare per cane.

C'è un momento, alla fine di ogni spettacolo: quando hai preso gli ultimi applausi, gli spettatori si stanno alzando, chiacchierano, pensano a dove hanno lasciato la macchina, a dove andare a cena, e tu sei lì, appena oltre le quinte, sudato, sfatto, sul punto di piangere comunque, ancora indeciso se essere contento o no. Poi viene fuori, come dalla nebbia, un dettaglio, uno solo, la cosa venuta peggio, la più ridicola – la voce diventata stridula, la battuta persa e riacciuffata al volo, un movimento che doveva essere morbido ed è venuto di legno, venuto male, malissimo. Nessuno se n'è accorto forse, ma era terribile. Nemmeno il regista l'ha notato? Non importa, è una macchia adesso, il segno dell'irreversibile. Così, ancora una volta Nino si scontrava con questo paradosso del recitare *bene*: quasi un controsenso, a giudicare da ciò che accade nella vita. D'altra parte, recitare, un po' si recita sempre, e come viene. E no, non si tratta solo di bugie – gente che indossa maschere che non dovrebbe, gente che nasconde, che dissimula, con l'ansia di essere scoperta, e punita. C'è una zona teatrale in ogni nostro atto – ci stava arrivando anche lui –, una posa, una pronuncia, un gesto, un'espressione del viso che corrisponde a un calcolo, e comunque a un'attesa. Non è una questione di doppia vita, ma di questa, dell'unica: così, c'era teatro, pessimo teatro, nella scena di lui che gira le spalle e pianta lì Teresa. C'è teatro, il più delle volte dozzinale, al telefono, in ufficio, in camera da letto, è teatro il colloquio di lavoro, la lezione a scuola, la cena preparata con più cura, l'abito finalmente indossato, dopo averne buttati sulla sedia tre o quattro. E come nell'altro teatro, nel vero, nulla si ripete uguale: simile sì, mai identico, nulla si ripete né lascia traccia. Tutto esiste solo in quell'istante e poi niente, scompare, evapora, non ha testimoni che non siano quel pubblico ristretto, scelto o improvvisato, radunato su due piedi: come intorno ai cantanti di strada, ai giocolieri, ai matti.

Una sfuriata dentro casa (volano gli oggetti, sbattono le porte) sembra guadagnarsi di maggior diritto un posto fra le pantomime: in verità, qualunque nostra azione, se non viviamo nel deserto, ha un pubblico. Diffidente, ansioso, partecipe, stronzo. Non fa che commentare, dire la sua a voce alta, o sottovoce a chi, mezz'ora dopo, commenterà altro con altri, te con i tuoi nemici. È questo pubblico di merda a tenerci vivi, a farci vivere. Dà un peso e un senso a ogni nostro movimento sulla crosta del mondo, può accadere di ingraziarselo ma dura poco, e comunque meglio non farci conto. È incostante, imprevedibile, critico sempre, generoso poco, tuttavia necessario. Siamo tutti uno spettacolo per qualcun altro.

Se c'era modo di recuperare, Nino voleva provarci. Perché, poi? E recuperare cosa, di preciso? Questo non lo sapeva, ma nemmeno gli importava granché. È inutile farsi troppe domande. Si sarebbe presentato da lei, all'agenzia di viaggi, senza fingere casualità: gli bastava che sorridesse. Le avrebbe detto: me lo organizzi un viaggio di capodanno last minute? L'ha intravista dalla strada, oltre la porta a vetri, dietro al bancone. Dentro non c'era nessuno, lei teneva lo sguardo basso sulle sue carte. Nino ha superato l'indecisione nel momento stesso in cui ha spinto la porta, si è sentito uno scampanellio, mentre lui, trionfante, diceva: buongiorno Teresa! Lei ha alzato gli occhi e non il mento, non subito, gli ha sorriso imbarazzata, anzi divertita, o così a lui è sembrato. Devi prenotare un viaggio?, l'ha preceduto, bruciando la battuta con cui avrebbe voluto sorprenderla. Non si è dato per vinto, ha rilanciato: che altro potrei ottenere da un'agenzia di viaggi? Senza aspettare la risposta, ha aggiunto: scusa per l'altra sera. Scusa per cosa? Per quella scena. Sei un attore, no?, Era ironica, e acida. Sì, ha risposto Nino, ma non tutte le scene vengono bene, anche i leoni del palcoscenico possono sbagliare. Si è arresa alla sua prontezza, ha cambiato tono, gli ha chiesto: dove vuoi andare? Si è voltata, ha indicato il planisfero alla parete: hai il mondo a disposizione. I clienti prima di me dove li hai mandati? A Disneyland Paris, partono il 27 e tornano il 3, che te ne pare? Ha preso il dépliant, l'ha sfogliato velocemente, gli ha spiegato che avrebbe potuto prenotare, volendo, camere a tema natalizio. Com'è una camera a tema natalizio? Non è difficile immaginarla, no?, ha sbuffato Teresa: l'albero, le lucine, qualche simpatico, enorme peluche. Ah, dimenticavo, puoi anche assistere alla Parata Disney di Natale! Non vedo l'ora. Bene: camera con grande letto matrimoniale, tv con canali Disney, delizioso buffet internazionale a colazione, idromassaggio, sauna, bagno turco, tre giorni spendi sui cinquecento euro, procedo? Considera che è una super offerta. Nino si è messo a ridere: tu ci andresti? Stava per dire: *verresti*, ha fatto in tempo a sterzare. Io sì, ha risposto, non ci sono mai stata. Non siamo un po' cresciuti per Disneyland? No, ha detto lei, e non ha aggiunto altro. Che programmi hai per le vacanze di Natale, *seriamente*? Seriamente nessuno. E gli ha spiegato che il bello, per lei, era proprio non avere programmi, passare i pomeriggi sotto una coperta, sul divano, guardare vecchi film, i soliti, visti due milioni di volte, un tè, o una cioccolata calda, godersi l'atmosfera, a te non piace quest'atmosfera? Nino è rimasto zitto, la guardava concentrato come si guarda un rebus, lei se n'è accorta, ha detto: che c'è? Poi lui ha voluto sapere del capodanno e lei ha detto che non gliene importava molto, basta che passi in fretta, mi mette tristezza, preferisco il Natale. Io il contrario, avrebbe dovuto dirle, invece ha voluto sapere di più, che cosa facesse – *di tanto speciale* – il venticinque dicembre, giornata che Nino associava a minuti grigi e lentissimi. Cosa dovrei fare di speciale? Cosa si fa, di solito, a Natale? Si sta in famiglia, si va a messa, ha detto seria, cosa vuoi che si faccia?

L'ha guardata fisso più del dovuto, lei l'ha notato: cosa ho detto di male? Niente, ha sorriso lui. Intanto, però, pensava a quanto fosse misteriosa, indecifrabile. Cominciava anche a sospettare di essere preso in giro. È diversa, questo di sicuro: ma diversa-snob, diversa-stronza, diversa-pazza? Ancora presto per dirlo. Valeva la pena scoprirlo?

Nino se lo è chiesto per tutta la sera, e ha continuato la mattina dopo, appena sveglio, quando si è buttato nella calca degli ultimi acquisti natalizi con l'idea – la smania – di farle un regalo. Che scemenza, si è detto mentre scorreva le vetrine in cerca di ispirazione, non ha senso. Doveva trovare una cosa piccola: poco impegnativa, un dono che le impedisse di pensare ad altro che non fosse una gentilezza trascurabile e, soprattutto, priva di allusioni. Si farà l'idea che ci sto provando? Meglio lasciar perdere, ha concluso, mentre chiedeva alla commessa un parere sul colore della sciarpa scelta per Teresa. Una sciarpa! Che regalo banale, Nino, una sciarpa è l'ultima spiaggia per chi non ha idee. Vediamo. Avrebbe fatto così: lunedì 7 gennaio, fuori dal teatro, avrebbe atteso il segno – un brivido di freddo, uno sfregare di mani – e zac, fuori la sciarpa, al volo. Come una magia. Il *coup de théâtre*. Gliel'avrebbe aggiustata intorno al collo dicendo qualcosa tipo: buon Natale in ritardo.

Poi la cosa imprevedibile è stata questa. Il pomeriggio della vigilia – sua madre spadellava in cucina, il salotto era già saturo dei fumi delle fritture – Nino, buttato sul divano, smaltiva a mucchietti gli auguri seriali. Auguri, auguri a te, auguroni: un rimpallo vuoto, senza vero calore, che lo irritava. A metà dell'ennesima risposta svogliata – gente a cui non aveva nessun particolare augurio da fare, nessuno – gli è apparsa la notifica: Teresa Campoli ti ha inviato un messaggio. Intanto, c'era scritto ciao Nino, e questo garantiva che non fosse collettivo. Poi c'era scritto: il mio augurio è che, in questi giorni, qualche campanello suoni dentro di te. E chiudeva con: ciao, Teresa. Nino ha cambiato stato d'animo tre volte in quattro minuti. Ah, ma tu guarda. Per prima cosa, compiaciuto. Per seconda, infastidito: i campanelli, il ciao da stronza, ma che vuole questa? Per ultima, l'ansia: di non sapere cosa rispondere, se subito, o quando. Ha messo via il telefono, è andato in cucina, ha pescato un filetto di baccalà fritto dal vassoio, ha aspettato che sua madre dicesse: stai fermo, lei l'ha detto, lui si è unto le dita e in quell'istante un campanello ha suonato, Nino si è messo a ridere, era quello del forno. La madre ha chiesto: che ti ridi? Niente, le ha risposto con la bocca piena, i campanelli!

Ha continuato a pensarci per tutta la sera, giocando a carte in cucina con cugini e zii, dentro un tempo che sembrava fermo da quattro, cinque, dieci Natali – lo stesso buio che stringe il giardino come un guscio, le luci del presepe, di là, lampeggiano nel salotto vuoto, l'odore di cucina impregna le maglie di lana, ora come allora, e le guance sono rosse dal vino e dal calore di stufa. Eh già, caro il mio signor Scrooge, è Natale, a queste latitudini è impossibile fare finta di niente, hai sempre detto di non sopportarlo granché, ma è bastato che la mezzanotte fosse più vicina, che tuo zio, come sempre, dicesse: hai preparato la poesia, Nino?, e che tu, come sempre, fingessi di salire in piedi sulla sedia, è bastato questo, stavolta, per farti ricordare, con tenerezza, te stesso nell'atrio della scuola vestito da alberello di Natale – la calzamaglia marrone, la maglietta verde, i rami di cartoncino, il microfono arancione, l'asta gialla, *Un allegro alberello di Natale | si mette all'improvviso a camminare*, a questo punto hai detto: sì, l'ho preparata, e sei salito davvero sulla sedia, con tuo zio che rideva, tua madre pure, tu sei tutto matto, ha detto lei, e tu lì, impalato sulla sedia, non hai sbagliato un verso: *Afferra con il ramo un valigione* – le mossette, Nino, le mossette!, diceva la maestra Rosanna – *e si dirige in fretta alla stazione. Prende un biglietto per il Monte Bianco | poi si sdraia in cuccetta perché è stanco | i viaggiatori che gli son vicini | gli chiedono di spegnere i lumini.* E parte una storia quasi triste, con l'albero che racconta ai fratelli che gli era presa questa gran nostalgia di casa, *Vedevo i miei monti, le mie stelle | le favole del vento, così belle.* Qui a Nino si è strozzata un po' la voce, nessuno se n'è accorto, lui ha continuato fino in fondo, *Cosa farai con tutti quei lumini?* Sceso dalla sedia, è stato preso da qualcosa di simile a una vertigine, precipitava in un piccolo buco spazio-temporale dove tornavano a lampeggiare, come le luci del presepe di là, le giostre, i luna park, gli zaini, in una pioggia di meteoriti dell'infanzia: sembrava che qualcuno gli stesse rovesciando in testa gli scatoloni di giocattoli chiusi in cantina da dieci anni.

Così, scopriva, l'infanzia ci riconvoca sempre. L'aveva scavalcata non da molto ma in fretta, non c'erano ragioni per ritrovarsela tra i piedi. Di più, si era impegnato a seppellirla per bene sotto il grande platano delle ultime estati, come un vecchio cane. Da solo e in comitiva: a furia di sigarette fumate di nascosto, di bestemmie, di sparate. Mentre genitori e nonni prendevano aria sui balconi o si assopivano davanti alla televisione, i ragazzini che avevano lasciato uscire facevano prove di baci sotto gli scivoli con cui avevano appena smesso di giocare. I più grandi del gruppo, sfigati altrove, continuavano a vantarsi, con i più piccoli, di cose mai fatte. Con le loro canottiere gialle erano grossi insetti fosforescenti, messaggeri di un mondo affascinante e sordido. GRADASSO 1 a GRADASSO 2 Te ne sei scopata un'altra? GRADASSO 2 Be', direi. GRADASSO 1 Ma in tenda? GRADASSO 2 Eh. Niente più che teatro, pure qui, anche se poi spiegava agli altri, per filo e per segno, cosa si prova in quel momento, oh rega'. Sembrava avesse consultato una versione demenziale dell'*Anatomia del Gray*. Se qualcuno metteva in discussione le sue testimonianze, GRADASSO 2 si inalberava: guarda che mi scopo pure tua sorella, rispondeva a brutto muso – e sarebbe stato divertente vederlo davvero alle prese con la sorella del povero Luca, una laureata in Medicina che avrebbe potuto chiarirgli le idee sui genitali maschili. Sarebbe tornato a essere, davanti a lei, solo uno stupido e ignorante tredicenne, senza una preoccupazione che non fosse, davanti allo specchio, quella del ciuffo perfetto. Nelle camere ancora affollate di macchinine, solo dormendo – e dormendo come bambini – questi mutanti tornavano innocui.

Il sonno della notte di Natale è stato dolce, e quieto. Nino si è svegliato tardi, ha guardato fuori, la pioggia non gli ha tolto il buon umore. L'ha fatto sorridere, fra i messaggi, quello della sua allieva più anziana, che agli auguri aggiungeva: "Sono fontiota come ti avevo gia detto che l'anno nuovo rimetterà ttto a posto".

Fontiota? La confidenza con il mezzo, come per molti suoi coetanei, non era ancora adeguata. In ogni caso, si intuiva la preoccupazione che Nino aveva già provato a fugare. E cioè che l'attrito con il signor Giancarlo potesse compromettere l'andamento del corso. Ma ti pare? No, no, signora Fontiota, e sai che ti dico? È Natale, sono più buono anch'io, prendo il telefono e chiamo il buon vecchio Giancarlo.

Pronto, signor Giancarlo? Sì. Sono Nino. Nino? Sì, del corso di teatro. Ah, Nino. Sì, volevo farle i miei auguri di buon Natale. Grazie, buon Natale anche a te, hai visto? Cosa? Che alla fine il presidente del Consiglio si è dimesso. Sì, ho visto. E che ne pensi? Ne penso bene, si è lanciato Nino. Anch'io, ha detto il signor Giancarlo, e si è messo a ridere. Arrivederci, signor Giancarlo. Arrivederci, Nino, all'anno nuovo!

Così, soddisfatto e fiero, ha pranzato di gusto, ha brindato, con un'allegria fuori misura, che – più spesso del previsto – agganciava il pensiero di lei. Nel torpore della digestione, mentre Canale 5 mandava in onda *12 volte Natale* e tutto quello zucchero newyorkese stranamente non lo disturbava, né lo aiutava a tenere gli occhi aperti, ecco, al quarto o quinto Natale di loro due (aveva perso il conto), quando Jack dice a Kate ehi, aspetta, ti va di prendere un caffè?, e sono avvolti da uno scintillio irreale, si è deciso a scriverle. Il pensiero è stato corto, ha digitato una frase tipo: i campanelli, alla fine, li ho sentiti. Ha aggiunto una faccetta sorridente, si è messo ad aspettare. Senza ansia: concludendo, all'improvviso, che sì, sì, era stato proprio un bel Natale.

Mentre il film finiva, Nino si è addormentato e il sonno l'ha traghettato oltre l'ora di cena: svegliarsi è stato come tornare al mondo avendo nove anni. Perché l'albero gli luccicava ancora accanto, perché se ne stava al caldo sotto una coperta morbida, perché sua madre gli ha chiesto se aveva voglia di una tazza di latte o di tè. Insonnolito, si è messo a pensare – confusamente, e senza nostalgia – alla distanza tra lui adesso e lui a nove anni. Tornare laggiù sarebbe stato come, in un videogioco, voler tornare al livello 1 o 2 avendone conquistati dieci. C'entravano la matematica e il segno meno: se avesse sottratto – ecco, che cosa? un pomeriggio di aprile a casa di sua nonna, lui nel gabinetto a guardare lo sciacquone che portava via il suo sperma, il primo bacio a occhi chiusi dato dietro la scuola, la prima sigaretta, eccitante, bellissima, la prima canna, la prima sbronza eroica e le seguenti – se avesse sottratto tutto questo, sarebbe bastato? Ma c'era stato tanto altro di mezzo! Ne voleva una prova immediata? Eccola.

Gli auguri di Natale, diceva il messaggio, potevi pure farmeli. Era la ragazza di Westbourne Grove. Nino si è subito sentito in colpa, come sempre con lei: non si cercavano più, lui non chiamava lei, lei non l'aveva più chiamato, e tuttavia temeva di non essere nel giusto, di non avere mai chiarito davvero. Come se bastasse andarsene da un luogo per lasciare qualcuno. No, non bastava. No. Aveva il suo peso essersi tenuti per mano, gli zaini sulle spalle, aspettando i bagagli – quel rullo diceva qualcosa della loro vita. Aveva avuto un peso lo sconforto del primo pomeriggio di convivenza – l'appartamento sembrava sporco, umido, il piatto della doccia era scrostato, macchiato di giallo, lei aveva detto: mi sento la febbre, lui aveva detto: non hai niente, con rabbia, con paura –, l'inedita, fastidiosa sensazione che d'ora in avanti ogni stato d'animo di lei lo avrebbe riguardato. Non poteva distrarsi, non troppo a lungo. Nino mi sento svenire. Nino torniamo a casa. Nino per favore chiamiamo un medico.

A forza di pensare se e come risponderle, era quasi arrivato capodanno. Poteva anche smettere di pensarci, no? Eppure: che cosa lasciamo di buono, negli altri, quando ce ne andiamo? Sarebbe più giusto – finita una storia – che il nastro su cui abbiamo registrato le prime parole e le ultime, le sillabe melense del corteggiamento, solenni, scandite, il momento in cui si spezzano, al telefono, quando la voce dell'altro nell'orecchio è ancora una sorpresa, e tutto il resto: i sussurri, prendendo fiato da baci con la lingua che durano quarti d'ora, le confidenze, comprese quelle di cui ci si pente, e le frasi dette piangendo e le frasi dette godendo, e perfino i consigli, anche quelli, offerti senza calcolare le conseguenze irreversibili che producono, ecco, sarebbe giusto che tutto questo sparisse, e il nastro tornasse vergine, lasciandoci di nuovo estranei, intatti, irresponsabili l'uno dell'altro. In fondo, a pesargli non era tanto il passato – l'avrebbe prima o poi, e finalmente, come le scarpe vecchie, buttato via – ma il futuro. Non per gelosia, no (doveva, per sentirne un po', concentrarsi su un'immagine precisa, una sola, *quella*). Temeva che essere passato nella vita di lei, ed essersene andato, potesse comprometterne il seguito. Ma no, si rassicurava, ha vent'anni! Quanta importanza ti dai! Eppure, immaginando anche un solo e duraturo effetto dell'averla ferita, si sentiva inchiodato alla colpa.

In tutto questo, ha perso la fermata: doveva scendere a piazzale Prenestino, è arrivato quasi a piazza dei Gerani. Gli è venuto da considerare che a piazza dei Gerani non era mai sceso. Zona Centocelle, sì, ma il nome non avrebbe sfigurato in una storia di "Topolino". Paperopoli doveva averla senz'altro una piazza dei Gerani, sotto un cielo eternamente senza nuvole. Ha ripreso il tram al contrario, si è seduto dietro a una signora dai tratti asiatici che quasi piangeva – collegata via Skype con una bambina, le faceva ciao con la mano, come un metronomo.

L'idea, da discutere con due amici in un bar di via del Pigneto, non era male. Sembravate però la caricatura di voi stessi: le barbe, gli occhialoni, la birra delle sette sul tavolino, il tabacco da rollare. Tommaso tra poco ha la partita di calcetto, gesticola velocemente, con la destra ogni tanto arpiona il telefono nella tasca dei jeans, lo controlla, lo mette via. Lorenzo sta chiudendo una tesi in studi orientali su Miyazaki, dice che non ha molto tempo e che la testa è da un'altra parte, una ragazza di Messina conosciuta per strada lo sta facendo impazzire, appena può va da lei, scopano e basta, senza dirsi una parola. Adesso non vi distraete, dice Nino, non facciamo come al solito che andiamo via senza avere deciso niente. E te, gli chiedono, ragazze? Per favore, risponde lui. Resta serio. C'è una a cui penso in continuazione, dovrebbe ammettere, ma non dice niente, sposta lo sguardo, gli altri se ne accorgono. Allora: bisogna che troviamo un nome al canale YouTube – un nome spiritoso, efficace. Il primo video lo giriamo fra due settimane alla sagra della bruschetta di Casaprota. Ogni domenica ne facciamo una: sagra della polenta la settimana dopo a Villa Santo Stefano, sagra dei fagioli con cotiche e salsicce a Riano, chiudiamo gennaio con la braciolata a Camerata Nuova. Bisogna far stare tutto in tre minuti: le nostre facce, quelle della gente in piazza, con la bocca piena, il monumento ai Caduti, il fuoco, i balli di gruppo, la processione, le bancarelle, il tirassegno, la banda. La sfida è riuscire a far ridere, ci vuole un tocco surreale – il ventenne che guarda deve chiedersi se ha davanti agli occhi realtà o finzione. E gli deve venire voglia di vedere dove siamo la volta dopo, scoprire se abbiamo pescato qualcuno più esilarante di Omero, il Cavaliere maledetto di Poggio Bustone, o della signora che vende salami a forma di cuore, di coniglio e di Minnie ("Abbiamo anche una bresaola di suino nero, che è una cosa che non fa nessuno").

Bisogna che si veda l'Italia, ragazzi: questa macchina del

tempo scassata – entri e ritrovi sempre qualcosa di ieri, il 1950, la nonna col golfino, le paste della domenica, il campo da bocce, la festa patronale, i miracoli veri o presunti. La modernità non è mai arrivata, mai fino in fondo. Come parli bene, Nino!, gli dicono, per prenderlo in giro. Sei pronto per la politica, aggiunge Tommaso, che quando può partecipa ai sit-in del Movimento 5 Stelle. Piantatela, si accalora Nino, non avete capito, bastano le trovate giuste, anche grafiche, un montaggio spiazzante. Piuttosto che commentare videogiochi da una cameretta o stare seduti su un water a scoreggiare, noi raccontiamo qualcosa di vero. Sì, certo, condito di facce buffe, occhi da pazzi, cazzate, bisogna far ridere, sì, ma anche pensare. Facciamo tipo gli alieni che sbarcano sul pianeta degli arrosticini, azzarda Lorenzo: vestiti da hipster, pettinatissimi, dialoghiamo con le zie mentre farciscono i panini, come se parlassimo lingue diverse, come se le vedessimo per la prima volta. Quel gesto di asciugarsi la fronte con il dorso della mano sporca di farina mentre impastano! Quell'energia con cui girano e girano e girano la polenta! E poi, la voce meccanica e un po' squallida dei titolari del tirassegno... i canti di chiesa...

Il buio cala di colpo e si sentono i primi spari, lontani, mentre la vita ordinaria si arena. Sarebbe lunedì, ma a questo punto ha perso il suo nome, il suo senso, in una lenta vigilia – i negozi chiudono prima, non c'è affanno, solo l'accurata preparazione di un'attesa. Dal vapore dei bagni domestici, dopo la doccia, emergono esseri umani convinti di avere una relazione tutto sommato discreta con il tempo che passa: lo specchio stasera rimanda un'immagine confortante, la grande festa collettiva non ha il peso di un compleanno dopo i quaranta.

Me li vedo, hanno le facce dei miei alunni passati e presenti. L'ex ragazza appassionata del teatro di Sarah Kane, seduta sul bordo della vasca, si depila e spinge il pensiero a quando – verso l'alba di domani – sudata, spettinata, sfatta dall'avere tanto ballato e bevuto, si spoglierà per qualcuno che ancora non conosce. Il quindicenne che sa fare le imitazioni, autorizzato al primo capodanno fuori casa, punta il mento prima a destra poi a sinistra, davanti allo specchio, verifica la tenuta dell'acconciatura, la notte sarà lunghissima e promette parecchio. Poi sì, c'è chi se ne va lontano, nella neve, su una spiaggia senza inverno, Matteo e Jacopo del secondo anno, dietro l'alibi della settimana bianca fra amici, hanno nascosto la loro prima vacanza d'amore insieme. Capodanno, per loro, sarà un inizio che non riguarda il calendario altrui, il tempo che scorre non è niente, nemmeno un fruscio.

E poi sì, c'è chi ostenta indifferenza per il passaggio d'anno – e questa sono io. Smaltito il Natale con la parentela, a chi domanda dove passerò la notte del 31, do sempre risposte diverse ma nessuna vera, aggiungo una frase caustica sull'isteria collettiva, sul divertimento a ogni costo – banalità che svelano ogni volta il rancore dell'esclusa. Da chi, poi? Dev'essere rimasto qualcosa – la piccola e remota cicatrice di una festa di un secolo fa, fine anno scolastico 1966-67, quando scoprii per caso di appartenere al ristretto gruppo dei non invitati. Venne giù un vero diluvio, era all'aperto: provai un piacere sconosciuto nello scrutare il cielo, nell'assicurarmi che fosse sempre così basso e cupo, ora per ora, nell'immaginare zuppi gli abiti estivi delle ragazze, le loro scarpe nuove.

Nino ha percorso in fretta via Orlando, due ragazzoni neri l'hanno fermato, chiamandolo fratello bianco, per proporgli di acquistare un libro. Lui ha sorriso, ha finto che gli stesse squillando il telefono, scusatemi, gliel'ha indicato con l'altra mano. All'angolo con piazza della Repubblica, una vecchia accucciata a terra gli ha teso entrambe le braccia emettendo suoni indecifrabili. Ancora qualche passo e più vicino alla stazione un'altra vecchia – bassa, un crocifisso d'argento al collo, le ciabatte ai piedi – gli ha domandato dove fosse via Merulana. Lui ha cominciato a spiegare, la donna l'ha interrotto: parli troppo veloce ragazzo, e poi, così, dal niente: io sono consacrata a padre Pio. Nino ha pensato che gli avrebbe chiesto soldi, anche lei: una fra gli infiniti questuanti della città, compresi i ventenni come lui, abnegati per necessità a qualche causa umanitaria, con le loro casacche azzurre, la simpatia come una maschera di carnevale. Invece la signora l'ha guardato fisso negli occhi e ha domandato: lo conosci padre Gabriele? Come se conoscerlo fosse la cosa più ovvia del mondo. Nino, per non deluderla, ha risposto sì, certo, e quella ha continuato: padre Gabriele raduna i giovani per un pomeriggio di preghiera l'ultimo sabato del mese, uno come te dovrebbe partecipare, io mi chiamo Maria, tu come ti chiami? Nino. Allora ti aspetto Nino, l'ultimo sabato del mese, mi raccomando. Nino ha fatto sì con la testa, ha sorriso, le ha girato le spalle pensando, fra compassione e rabbia, non è altro che una povera vecchia pazza. Né ha fatto in tempo a completare il pensiero che si è trovato davanti, su piazza dei Cinquecento, un ragazzo alto, in giacca, cravatta, camicia rosa, e due donne di mezza età, in tailleur, accanto a un espositore di libretti intitolati *Cosa insegna realmente la Bibbia?* Non è giornata, si è detto. Una volta superati, si è voltato indietro solo per il gusto di vedere se c'era qualcuno disposto a fermarsi, e no, al momento no, per fortuna, nessuno. *Qual è la verità riguardo a Dio?*, ha letto su una locandina.

Che non esiste, si è risposto con un ghigno. Non poteva sopportare le professioni di fede. Trovava fastidiose anche solo allo sguardo quelle facce paffute e convinte, di una serenità così esibita da risultare ottusa. Parevano intenzionate a dirti, con il loro sorriso aperto, eccessivo, che eri ancora in tempo, sta finendo l'anno, sì, però quello nuovo può andare meglio, andrà meglio: se ti converti.

La cenetta del veglione, in casa, si è ridotta a un passaggio di piatti di plastica rossi fra coinquilini e amici. Le lenticchie erano fredde e incollate, lo spumante scadente. I più si sono buttati sull'insalata russa. Nino ha parlato per tutto il tempo con un ragazzo magro, il volto grigio e malaticcio, che sembrava espertissimo di canali YouTube, visualizzazioni, tag ottimizzati. Si è annoiato ad ascoltarlo dopo i primi dieci minuti, si è guardato intorno, ha afferrato frasi di discorsi altrui. Dopo due anni di Grecia sarei orientata sulla Croazia... (gente già proiettata sulle vacanze estive) ...il venerdì alle tre e mezzo, massimo alle quattro, esco comunque dall'ufficio, cascasse il mondo... (corteggiamenti blandi imperniati sui reciproci orari di lavoro) ...alla doppietta di Lamela, dopo i gol di Burdisso e Osvaldo, mi stavo sentendo male... (considerazioni sull'ultima partita della Roma prima di Natale) ...quando le partite finiscono bene, gli cambia l'umore e gli viene voglia di farlo... (vita sessuale delle fidanzate dei tifosi).

Verso l'una è entrato in un locale affollatissimo, all'ingresso ha assistito a una lite fra le addette al guardaroba e quattro tizi che pretendevano di lasciare i cappotti benché non ci fosse più spazio. Si sono dovuti accontentare di impilarli su un pouf e di vederli scivolare sul pavimento. Alle tre meno un quarto, mentre cercava di ritrovare il suo, una ragazza gli ha chiesto una mano per disseppellire una giacca di pelliccia. Era molto carina, e su di giri. Una di quelle – perfette – che tagliano piazzale Ponte Milvio a gruppi di tre, quattro a metà pomeriggio. Le ha guardato le gambe, il sedere, mentre era impegnata a rovistare: vedrai che poi spunta fuori, l'ha incoraggiata, ti presto un attimo il mio se vuoi, lei ha sorriso, maliziosa e grata. Fumo una sigaretta e torno, ha detto. Ti accompagno, ha rilanciato Nino. Sentirai freddo, così, in camicia. Figurati, le ha risposto, e si è ritrovato fuori con lei, sotto il cielo gelido e nebbioso del primo dell'anno, la temperatura vicino allo zero. Stai battendo i denti, ha riso lei.

No, potrei resistere ancora per ore, non mi conosci, si è vantato Nino, per gioco, sfregandosi le mani. Lei ha fatto l'ultimo tiro, profondo, senza ascoltarlo. Rientriamo dai, devo fare pipì, sarà il freddo, accompagnami, ha detto, e dicendolo l'ha preso per mano. L'ha fatto entrare con lei nel bagno, nessuno li ha guardati male, si è abbassata le calze e tutto con lo stesso gesto, rapido. Nino ha intravisto il pube glabro prima che il vestito ricadesse. È stato breve, e piatto. Si sono scambiati i numeri, con poca convinzione, lei ha ritrovato la sua giacca in pelliccia e l'ha baciato sulla guancia.

Lui, rientrando a casa, ha avuto in mente Teresa. Avrebbe voluto sapere dov'era stata, e con chi, in quelle ore. Ha provato a immaginarla, ma era fuori strada. No, nessuna festa, e no, nessuna minigonna. Aveva un maglione bianco, un paio di jeans scuri, i capelli legati – e a casa dei suoi, a Terracina, parecchio in comune con sé stessa tredicenne. Quando provava, andando a dormire – fuori, nella notte fredda, ancora qualche sparo –, uno strano piacere: le lenzuola pulite, un calendario intatto alla parete, e la convinzione che con l'anno nuovo sarebbe cominciato un tempo davvero nuovo. Anche stasera l'ha pensato, quasi con la stessa intensità e con più desiderio, e un po' di rabbia: perché sì, sarebbe bello un nuovo inizio, una ripartenza, entrare da domani in un mondo che ha dimenticato il peggio, ha dimenticato tutto, puro, senza scorie, senza ombre. Immaginava, da bambina, enormi idranti attivati sul tetto del mondo, le strade, le piazze, i marciapiedi sarebbero stati tirati a lucido in mezz'ora, e anche le macchine, parcheggiate fuori, non sarebbe servito portarle al lavaggio, come faceva suo padre ogni sabato mattina, e i netturbini potevano andarsene tutti in pensione, perché lo sporco, in un colpo, sarebbe stato spazzato via dalla pelle del pianeta. Non sa che darebbe, adesso, per toglierne, dalla sua, quel poco che basta a sentirsi più libera, e migliore anche, come si augura l'anno che comincia.

La mattina del primo dell'anno è venuta giù un'acqua sottile, fastidiosa. Preso l'ombrello, ho portato giù il cane, l'asfalto di via del Valco di San Paolo era pieno di botti e di preservativi usati. Spuntano tutto l'anno, nei fine settimana, come lumache dopo la pioggia: è un luogo buono per parcheggiare, appena dietro l'università, e per fare l'amore – buio il giusto, e senza troppo passaggio. Ho sorriso pensando a queste utilitarie che sobbalzano, surriscaldate e vive; a chi si è spogliato a metà, e a fatica, sui sedili: senza ansia, senza rimorso, senza la rabbia ribelle che è stata mia, o nostra; immaginando chi ha goduto, esplorato l'esplorabile, e adesso dorme beato fin oltre mezzogiorno. Le madri che non fanno più l'amore si occupano del sugo, mentre su Raiuno il papa dice, con la sua pronuncia tedesca: in qvesto primo ciorno del 2013 chiediamo a Maria santissima madre di Dio che ci benedica come la mamma benedice i suoi fighli che devono partire per un viaggio, il nuovo anno è come un viaggio.

Il cielo intanto si è aperto, è uscito il sole, e sì, le madri fanno il sugo e benedicono i figli per il loro viaggio, e più che stare in pena, un po' li invidiano – loro che camminano a passi svelti su qualunque pista, su qualunque strada, non hanno lacci né capestri, genitori sbiaditi e senza grandi convinzioni li lasciano fare, li lasciano andare. E questi non hanno da conquistare granché, non aspettano i diciott'anni, non aspettano niente: liberi a monte, non c'è Dio, né Almirante, né i fascisti, gli amici delle multinazionali o il "Corriere della Sera" contro cui ribellarsi e prendere posizione, non c'è nessuna faccia torva da sfidare. Solo una faccia distratta, assente, arresa. Meglio così, mi dico, mentre pure li sfido, a lezione, cercando in loro qualche segno del vecchio mondo – il mio. Cos'è la colpa, per voi? Vi sentite mai in colpa? Mai. E l'innocenza? Una questione, per loro, di fedina penale.

Che ne sanno di come tornavo a casa una domenica pomeriggio di aprile, o di maggio, del 1969, più tardi dell'accettabile, cercando in tutti i modi di nascondere, come tracce di fumo, i segni della verginità che avevo perso. Male, di fretta, e senza amore. Una festa di laurea di gente più grande, in una casa al mare le cui stanze, ora dopo ora, diventavano rifugi per coppie troppo acerbe – la penetrazione somigliava a una visita dal ginecologo. Ho mangiato con lo stomaco chiuso e la testa bassa, e con il terrore che da un momento all'altro mio padre puntasse il dito, urlando contro la mia spudoratezza. Mia madre andava in chiesa, lui no: non era questione di sesto comandamento, ma di Morale – una cappa asfissiante e cupa che ci calava addosso, a mia sorella e a me, anche per un cambio di pettinatura. Deroghe le concedeva soltanto a sé stesso: le sigarette, le scommesse e – avremmo saputo per caso, quando la demenza senile l'aveva stravolto – le puttane.

Lunedì 7 gennaio, come previsto, Nino l'ha sorpresa alle spalle, le ha avvolto la sciarpa intorno al collo dicendole: auguri. Lei ha sorriso, lui ha respirato. Dovrei dirti che non dovevi, ha detto Teresa, ma non te lo dico, perché i regali mi piacciono. Non può piacerti una sciarpa, però può tenerti caldo. E comunque, ha aggiunto Nino rovistando nella sacca grigia, ho un'altra cosa. Hai mai letto questo libro? E ha tirato fuori una copia del *Giro del mondo in ottanta giorni*. È la mia, non sono arrivato alla fine ma vorrei che diventasse tua. Teresa ha fatto scorrere le pagine con il pollice, le è saltata all'occhio una frase – Quella tempesta non gli dispiaceva affatto. Ha detto: grazie, sembra il libro giusto per me. Si sono spostati in un bar: fa freddo, mi ha scritto Teresa in un messaggio, avvertimi quando sei pronta.

Nino le ha raccontato delle sue fatiche di insegnante di recitazione. Hanno riso, il prosecco li ha resi più allegri. Soprattutto non ti aspetti che ti facciano la morale all'improvviso, e a muso duro, davanti a tutti, le ha spiegato. La morale su cosa? La morale su tutto. Ma come, mi dico, io sono qui che vi insegno, che provo a insegnarvi qualcosa, qualcosa che so più di voi – un tono, un gesto, un movimento – e voi mi prendete per il nipote scemo da strattonare, a cui insegnare come stare al mondo? Ma perché, che ti hanno detto?, ha chiesto Teresa. Niente, stupidaggini, ha risposto Nino – ma è *il modo*. In particolare, ha aggiunto, il simpatico signor Giancarlo ha provato a mettermi in crisi, non sapevo chi fosse Salvo Randone, tu lo sai? No, ma il bello dei vecchi è questo – sanno chi è Salvo Randone. Tengono vivo, finché sono vivi, qualcosa che già non c'è più, o che sta per morire. Comprese le agenzie di viaggi. Sì, d'accordo, comunque poi da lì ha attaccato una predica sui ventenni che non sanno niente, che non sono interessati a niente, e ha tirato in ballo la politica. Che c'entra la politica?, ha chiesto Teresa. Ecco, brava, è la stessa cosa che ho detto io: che c'entra. Ma il simpaticissimo signor

Giancarlo ha tirato fuori, così, dal niente, "Classe operaia", e un articoletto che aveva firmato su quel giornale nel '65, sull'unificazione fra classe e partito (avevo la tua età, ha detto), e i treni nella notte, le piazze, e la morte di Raniero Panzieri l'anno prima (Raniero come?). Eccetera. Mi ha chiesto cosa pensassi della situazione del governo, gli ho risposto: io non seguo molto la politica. E lui? E lui ha risposto che faccio molto male. Sono d'accordo, ha detto Teresa, con un sorriso che Nino non ha saputo interpretare e l'ha messo a disagio. Come andava letto? Ironia, certo. Ma buona o cattiva? Avrebbe voluto chiederglielo, non l'ha fatto. Faticava a credere che la ragazza davanti a lui militasse in un partito. Poteva chiederglielo? È rimasto in silenzio il tempo sufficiente perché lei, da sola, gli chiarisse le idee: non pensare che io sia una che fa le barricate, figurati, al liceo non andavo nemmeno alle assemblee, mi sembravano una perdita di tempo, tutta quella gente che si prendeva così sul serio senza avere un'idea chiara, senza avere un'idea, e nonostante questo, quando sento qualcuno che dice "non mi occupo di politica", la cosa mi fa incazzare. Il senso di una frase simile è questo: il mondo è fatto così, chi sono io per metterlo in discussione? E soprattutto, perché mai dovrei? Ecco, questo modo di ragionare mi fa incazzare. Aveva detto così: *mi fa incazzare*. No, non che la cosa fosse di per sé rilevante, ma il tono brusco con cui l'aveva detto, quasi battendo il pugno sul tavolo – piano, comunque, con eleganza – l'aveva stupito. E ti fa incazzare perché?, ha domandato Nino, abbassando un po' la voce, quasi preoccupato che potesse all'improvviso alzarla lei. Invece Teresa ha risposto calma, dopo aver ravviato con l'indice i capelli dietro un orecchio – lui era letteralmente catturato – e ha tirato fuori una domanda, poi un'altra, e un'altra ancora: rivolte a chi? Rimbalzavano da una parete all'altra del bar, Nino ne afferrava una, non faceva in tempo a formulare l'inizio di una risposta che arrivava un interrogativo nuovo. Chi dice "non mi occupo di politica" che cosa si aspetta dagli altri? È giusto che si aspetti qualcosa? Occuparsi di politica non dovrebbe essere l'impegno di chiunque non sia più un bambino? Non lo so, avrebbe voluto dirle, non lo so Teresa, mi stai confondendo, sei anche così bella stasera, non so davvero che dire. Ha balbettato un sì, un ma, di nuovo un sì, come alle interrogazioni, qualche anno fa, quando non aveva nemmeno aperto libro. Se l'è cavata dicendo: è un discorso lungo, mentre Teresa si alzava per andare a pagare, e lui l'ha fermata, e poi, d'impulso, le ha chiesto se poteva interessarle, domenica non questa, quella dopo, la sagra della bruschetta a Casaprota. È scoppiata a ridere, lui le ha spiegato del progetto sulle sagre italiane per il canale YouTube, lei ha arricciato il naso come di fronte a una cosa incomprensibile o soltanto cretina, e gli ha chiesto: e che vengo a fare? A mangiare la bruschetta. Ma Casaprota dov'è? Non lo so di preciso, sessanta chilometri facendo l'A1, un'oretta di macchina. Si è affrettato a dirle che non sarebbero stati soli, che c'erano un paio di amici suoi, e che poteva aggregarsi anche un'altra persona, in cinque, nella Panda di mia madre, dovremmo starci.

Nino è rientrato a casa con un piccolo rimorso: per non averle chiesto di mangiare insieme. Tanto valeva, a quel punto, fermarsi da qualche parte, prendere una pizza, un hamburger. Nel quartiere Ostiense spuntano locali nuovi dalla sera alla mattina, tutti più o meno uguali, le vetrate ampie, le piastrelle bianche alle pareti, sembra New York anche se non ci sono mai stato, le avrebbe detto, e le avrebbe detto anche che la zona del vecchio porto fluviale gli piace parecchio, le piste ciclabili giù, sul greto del fiume, c'è qualcosa ancora di selvaggio, di naturale, il Gazometro all'ora del tramonto, i graffiti che rivestono di colori allegri vecchi e cadenti palazzi occupati. Aveva voglia di raccontarle di sé. No, senza mettersi in mostra, come faceva con un altro genere di ragazza – la maggior parte di quelle della sua età. Bastava dire, per conquistarle, che una volta era riuscito a parlare con Nanni Moretti e che aveva avuto una piccola parte in un film di Verdone. Era vero, ma non fino in fondo: la scena in cui appariva – da avventore di un bar di Trastevere – era stata tagliata al montaggio. A lei avrebbe parlato di sé in modo diverso. Con sincerità, ecco. Le avrebbe spiegato che non ricordava un solo momento, nemmeno uno, della sua vita cosciente in cui non ci fosse stato un po' di teatro. Da attore, imitatore, prestigiatore, maniaco dei travestimenti – bastava niente: un canovaccio sulla testa, uno scialle e si metteva a correre per il giardino nelle sere d'estate fino a che non faceva buio, recitava fra sé e sé copioni eroici, improvvisati. A carnevale era stato, se ricordava bene, almeno un'ape, un termosifone, un pagliaccio ovviamente, con una parrucca di ricci rossi. A una festa di Halloween, una volta, si era messo una maschera di *Scream* in testa e due palloncini sotto il maglione, per fare le tette: era riuscito a far credere a un paio di compagni di classe di essere Valentina Filipponi. Questo forse non gliel'avrebbe raccontato, ma volendo poteva tornare ancora indietro, e suscitarle l'opportuna tenerezza di fronte a un bambino che a otto anni, in classe, organizzava – nel tempo ridotto della ricreazione – mostre canine e gattine con i peluche. Lui era anche presidente della giuria, faceva sempre vincere Alessandra Misetti. E delle gare di canto vogliamo parlarne? Con tanto di scenografia (la lavagna poteva diventare un fondale, con l'aiuto dei gessi colorati) e un jingle che aveva inventato lui, davvero terribile, qualcosa tipo *do-re-mi-fa-sol-la-si | canzonissimi*, parola senza senso che storpiava il titolo di una remota e gloriosa trasmissione della tv in bianco e nero. Insomma, ce n'era da raccontare! *Il malato immaginario, Il mercante di Venezia* organizzati nel minimo dettaglio per una platea di parenti, li costringeva a sedersi, ad aspettare, entrava in scena, leggeva nei loro occhi lampi di insofferenza, non si faceva scoraggiare. E vogliamo mettere l'epocale spettacolo di fine anno in terza media, l'irripetibile *Terza Media Show*? Che anni. Lui che – ben pettinato, con indosso un'assurda giacca doppiopetto – faceva il presentatore serio, impostato, tenendo il filo di numeri male assortiti. Le imitazioni di Pietrocola, che sapeva più o meno rifare i politici. Barzellette patetiche e senza coraggio. E poi, su tutto, i balli: in vista dei quali, dietro le quinte, era tutto un viavai, un fruscio di abiti cambiati al volo, un tanfo di sudore. Ma proprio questo era il bello, signori! Quella frenesia. Quella tensione. Simona Pergola intravista senza reggiseno. E poi l'applauso, quando arrivava, uno scroscio di fiume umano, una liberazione. Le avrebbe raccontato tutto questo. Avrebbe atteso le sue domande.

Mi ha chiamato a un'ora insolita di un giorno insolito, sabato sera, mentre guardavo in televisione – disgustata, commossa – cantanti bambini esibirsi in pose troppo adulte, fingere di straziarsi per testi che non capiscono, che non possono capire. Soprattutto, osservavo i genitori: inquadrati dalla regia all'unico scopo di coglierne gli occhi lucidi, hanno il cuore gonfio e illuso. Uno forse su cento, fra quegli undicenni concentrati nelle pose da rockstar, sarebbe diventato qualcuno. E quelle pertiche di ragazzine che arrivano quasi piangendo al finale di *Almeno tu nell'universo*, senza essere mai state innamorate? Che tenerezza! Ho chiesto a Nino come mai non fosse uscito: che ci fai di sabato sera a casa? Hai la febbre? Non ha raccolto, è andato subito al punto. Sono in difficoltà con l'assegnazione delle parti, ha detto, non so, mi pare di non capire più niente, ho davanti da un'ora e mezzo il foglio con scritti i nomi da un lato, i ruoli dall'altro, me lo rigiro tra le mani, non mi torna. Qual è il problema?, ho chiesto. Ce ne fosse uno solo, ha risposto. E per la prima volta, forse sì, per la prima volta, l'ho sentito scoraggiato. Forse è sbagliato il testo, bisognava cercare qualcosa di adatto a un gruppo di vecchi, Grazia. Ha detto il mio nome come un rimprovero. Sostituire *Le false confidenze* con altro, ha continuato, darebbe l'idea di un laboratorio inaffidabile. A quel punto gli ho detto che ero d'accordo, che doveva trovare comunque una soluzione. Ho cercato di capire dove fosse l'intoppo, se avesse più attori che ruoli, o che cosa. No, ha risposto, è che mi pare tutto un po' ridicolo. E da quando in qua uno come te teme il ridicolo? Ho provato a tirarlo su, con affetto: ascolta, gli ho detto, non c'è da preoccuparsi così. Vogliono solo divertirsi. Se non ci sono ruoli per tutti, li inventi, o ne usi tre o quattro, i peggiori, come scenografia. Quante volte l'ho fatto, lo faccio anch'io? Non temere, Nino, e non ingigantire le ansie. Questo spettacolo non debutta al Piccolo di Milano! Lo vedranno i parenti, gli amici, i nipoti, si faranno due risate, e buonanotte. Il fatto è che il signor Giancarlo gli sembrava inadeguato per il ruolo di Dorante, sì, se la cavava meglio di molti suoi compagni, ma non era dotato di ironia. E Araminta? Non poteva che essere la signora Perrotta, ma... Come far cogliere al pubblico che i personaggi di Marivaux erano giovani? Bisognava lavorare sui costumi? Fare indossare al signor Giancarlo un paio di Converse? Attualizzare? No, no e no, gli ho risposto: sarà interessante proprio questa scelta di affidare ruoli giovani a persone anziane, e comunque sappi – eccomi pronta a fargli lezione – che Marivaux aveva alzato l'età media dei suoi personaggi proprio per *Le false confidenze*... per l'unica ragione che gli attori della sua compagnia erano invecchiati... i suoi storici attori erano malandati, quello che di solito faceva Arlecchino stava per morire. Mi sembra un dettaglio interessante, ha commentato Nino serissimo, ma sarebbe troppo sofisticato suggerirlo allo spettatore nel nostro caso, un azzardo registico che non possiamo permetterci. E quindi? Quindi niente, il signor Giancarlo sarà Dorante, la signora Perrotta sarà Araminta, se la caveranno con la leggerezza, consapevoli loro stessi di prestare il corpo a uomini e donne con la metà, meno della metà, dei loro anni. Continuo a non avere le idee chiare, ha protestato Nino, più leggo le battute e meno me lo vedo il signor Giancarlo che fa l'innamorato di Araminta, ovvero di Laura Perrotta, dicendo battute come: Ahimè! Signora, lei non sa che io l'adoro! Scusate il termine eccessivo che ho usato. Ma non so parlare di lei senza lasciarmi andare!

Ma Nino, che cosa ti prende? Perché tutte queste ansie? Recitare, non devono fare altro che recitare. Sembra che scopri oggi cosa vuol dire. Togliersi di dosso la maschera di ogni giorno, metterne un'altra. Il signor Giancarlo, nato a Roma nel 1942, non sarà mai un trentenne francese di metà Settecento, e non deve nemmeno esserlo: deve recitare, niente più di questo.

Nel viaggio di ritorno dalla sagra della bruschetta, avete parlato a lungo. Forse come mai prima, senza la distanza di sicurezza, senza l'ironia dietro cui vi siete nascosti. Nino aveva bevuto troppo per guidare, ha lasciato che al volante ci fosse Tommaso. Lui è salito dietro, e stretto fra Teresa e la sua amica si è messo a raccontare di Londra: un po' mi manca, il caos di Covent Garden, e quello quasi insostenibile, in certe giornate, di Leicester Square. Il movimento della folla: ti fa meno solo e insieme solissimo. E poi sì, a ripensarci gli sembra di averci passato una vita, anche se era solo un anno. Si era vestito da Sherlock Holmes, con tanto di pipa, per una settimana, ammiccando in vetrina da Ripley's, il museo delle stranezze di Piccadilly. Aveva fatto un colloquio per essere preso da Hamleys, l'immenso tempio dei giocattoli su Regent Street. Ci sarebbe stato da sgolarsi, in quell'eterna confusione natalizia, far volare piccoli droni, vestirsi da pirati, disegnare in un angolo insieme a bambini scalmanati. Kate Middleton non sarebbe più riuscito a invitarla a cena. A parte questo, hai sempre la sensazione di un'altra possibilità, di qualcosa che può accadere se la mattina non resti a poltrire in casa, ti infili un impermeabile, esci, e Londra è lì, vasta e nuova ogni mattina, sicura di sé, generosa forse no, non subito, ma ottimista, ricca di occasioni. L'amica di Teresa, bruscamente, l'ha interrotto: allora perché sei tornato? Lui è rimasto zitto, come disorientato, colto alla sprovvista, e lì – senza motivo – si è aperto: no, ha detto, non è stata una fuga, sarei rimasto ancora, ma una storia che non funzionava più, da una parte, e dall'altra la proposta del corso di teatro a Roma, ecco, le due cose messe insieme... E anche un po' di nostalgia. No, non di casa, non proprio. Più che l'Italia, cominciava a mancarmi l'italiano. E i bar di Roma. La musica dei cucchiaini e ognuno che chiede un caffè diverso. Nino è sicuro, dicendo questo, di avere incrociato lo sguardo di Teresa – e gli è sembrato che fosse partecipe, e dolce. E comunque lei pure, a quel punto, si è aperta: viaggiare mi preoccupa sempre, mi scuote, ha detto, e lo so che la cosa fa ridere. Guardo gli orologi sulla parete dell'agenzia, li guardo spesso: uno dà l'ora di Pechino, un altro l'ora di New York, e poi Los Angeles, Parigi, Sydney, mi arriva come una vertigine, sempre, un lampo d'ansia, vorrei essere dappertutto, vorrei non perdermi niente, ma il solo pensiero di partire mi agita, le paure si affollano nella testa, e sono stupide, sono terribili, gli attentati, i disastri aerei, sì, ma anche, soprattutto qualcosa di vago e minaccioso, qualcosa che, se fosse per me, mi lascerebbe incollata alla sala d'attesa dell'aeroporto – quella terra di mezzo così rassicurante e identica a ogni latitudine, mai caotica, sporca o brutale come una stazione, con i negozi di lusso, il profumo che esce dalle profumerie, gli annunci, qualcuno che corre per non perdere l'aereo...

I finestrini, dietro, sono completamente appannati, all'altezza di Settebagni Tommaso ride, voi parlate di Sydney e siamo a Settebagni, l'amica di Teresa dice: il mondo è il mondo, c'è Sydney ma c'è anche Settebagni, e non è detto che Sydney vinca il confronto. Siamo tutti in provincia di qualcosa. Ridono tutti. Anche Casaprota ha il suo perché, aggiunge Nino: la sagra è stata uno spasso, a parte che la bruschetta era veramente buona, buonissima... l'olio della Sabina sul pane caldo... la musica, le fisarmoniche, la banda di Guidonia... le fregnacce acqua e farina, le salsicce al tartufo... la famosa coppa... e questa intramontabile provincia italiana... la cooperativa che offre i vasetti di conserve... i centrini ricamati a mano... le saponette fatte prima di Natale con la tecnica a freddo... la mortadellina di Campotosto... La parte più riuscita del video è stata quella con l'amico di Poggio Bustone che realizza utensili da cucina in legno... quando ha parlato dell'utilità dei pestasale di una volta... siamo cani randagi, noi venditori ambulanti, troviamo un osso spolpato, lo prendiamo uguale, via... le scifette per la polenta, di faggio, legno che non assorbe... il presidente della Pro Loco, quando ha detto: c'è un boom di presenze, nonostante la giornata uggiosa, noi portiamo il sole con le bruschette... Pino e Rino in cucina... ottanta chili di pane... Ivana che sfrega l'aglio, Piera che si definisce la veterana e prepara il grande classico, la bruschetta alla nutella...

Però prendete tutti per il culo, se n'è uscita Teresa, e io questo non lo capisco, ha detto. Lo facciamo bonariamente, ha risposto Tommaso. Bonariamente o meno, il senso qual è? Nino non ha risposto, gli è venuto in mente l'aggettivo *pesante*, a volte sei pesante, stava per dirlo, si è trattenuto. Ha pensato che in fondo tutto era andato così bene, che era stata una bellissima giornata, e che forse, finalmente, tra lui e lei, si erano un po' accorciate le distanze, e che si stavano conoscendo, e che era bello, e poi però lei aveva queste uscite dure, che lo mettevano a disagio, gli facevano rabbia.

Il giorno dopo – lunedì, corso di teatro – si era trattenuto dentro il più a lungo possibile per evitarla. Non era soltanto perplesso – su di lei, su un carattere che non dava certezze: era risentito, anche. Trovava fastidioso che fosse così pronta a dare giudizi. Da dove le venivano? da quale esperienza superiore del mondo? Era *strana*. Era difficile. Eppure Nino non riusciva, nonostante tutto, a tenere lontano il pensiero da lei.

Ho radunato gli allievi del primo e del secondo anno, i docenti e una decina di amici per una lezione speciale. Ero riuscita a invitare un grande attore di teatro, dopo averlo corteggiato per mesi. Conosciuto dai più per via di qualche film per la televisione, aveva in realtà decenni di palcoscenico serissimo alle spalle. Tragedia greca, Shakespeare, Pirandello. Ho preparato le domande con cura perfino eccessiva. Non sono servite. Il grande attore è entrato, mi ha chiesto all'orecchio di fargli portare sul tavolo, in un bicchiere scuro, del vino rosso. Mentre lo presentavo alla platea, mi ha guardato annoiato, ha sorriso – un lampo acido – e mi ha interrotto. Svogliatamente, muovendo la mano destra – mezzi cerchi disegnati nell'aria – e tenendo nell'altra un sigaro, ha cominciato a parlare di immaginazione e frantumazione dell'Io, di gesti, della tensione di cui devono caricarsi, della seduzione, del barlume di verità che lampeggia nella finzione. Tutte cose alte, nobili, interrotte di tanto in tanto da un mi spiego?, detto con severità, con fastidio, la mano del sigaro passa sulla fronte, il segno di una remota o perenne stanchezza, il talento in quanto talento è sterile, ha continuato, deve mettersi al servizio del testo, e intanto saliva di tono, diventando via via più retorico, più enfatico, il teatro è una straordinaria esperienza legata alla vita, è vita, è incontro, ha ripetuto tirando su col naso, l'occasione simbolica, la metafora devono essere vita. Il discorso è durato quaranta minuti, e mentre il pubblico applaudiva – rigido, senza entusiasmo – il grande attore si è di nuovo avvicinato al mio orecchio per dirmi che preferiva non ricevere domande. È finita così, con lui che si alza in piedi, congiunge le mani in un saluto buddista, fa due o tre volte sì con la testa, gira le spalle, va via.

È stata bella, no?, ho chiesto davanti ai tramezzini del rinfresco a cui mancava l'ospite d'onore. Qualcuno ha fatto un cenno vago, masticando intanto i taralli. Ha risposto solo Nino: no, è stata inutile. Era quello che pensavo anch'io, ma non gliel'ho detto. Lui ha seguitato: parlava tanto di vita, vita di qua e vita di là, e la sua? È stato avaro, e arido. Ha fatto il suo numero, niente più che questo. Ha ripetuto venti volte la parola incontro; avremmo dovuto dirgli: e questo, ti pare che sia un incontro? È stato deludente. Spero di non diventare mai così.

Tornando a casa, ho pensato a lungo alle parole di Nino. Mi è venuto da chiedermi che rapporto ci fosse fra il grande attore di oggi e il ragazzo che era stato, fra il gelido distacco attuale e le tumultuose ambizioni di ieri, fra l'indifferenza di ora e la passione di allora, fra la noia, il disincanto e il cuore quando tremava.

Quand'è che siamo diventati stronzi? Come abbiamo fatto a non rendercene conto? Qualcosa sopravvive – il talento, che diventa mestiere: più raffinato, più disinvolto. Ma lo stupore? E l'attenzione autentica, profonda, che ci teneva incollati alle cose per ore, alle scoperte della vita intellettuale, alle parole degli sconosciuti, un po' a tutto. Resta come un piccolo guscio di noce, al centro di noi, dove il meglio di cui siamo capaci è al sicuro. È la parte più viva e più umana. Mentre il resto precipita nell'incuria e nel degrado – i princìpi, l'onestà, il nostro stesso corpo – qualcosa ancora laggiù emana calore. Ma non basta. Non brilliamo più. Qualcuno, da lontano, scambia per luce vera il neon freddo e sterile del saperci fare.

La domenica dopo quella di Casaprota, Nino si è svegliato di malumore. Se c'è una cosa che detesta, è indossare abiti da cerimonia per partecipare a una cerimonia. Stamattina gli tocca: il battesimo del figlio di sua cugina. Ha deciso che non metterà la cravatta, ne discute con sua madre quando passa a prenderla in macchina. Aveva voglia di mandare un messaggio a Teresa, di dirle che sarebbe capitato nel suo quartiere, e che avrebbe preso volentieri un caffè con lei, ma che smarcarsi da una cerimonia con i parenti non è impresa facile. E poi, mi vedresti in giacca e cravatta, potrei essere abbagliante. Alla fine, ha lasciato perdere.

Non metteva piede in una chiesa da quando? Un matrimonio di amici, un paio di anni fa, che giudicava, se non prematuro, affrettato. Lo era. Stare in chiesa lo innervosisce: quell'alzarsi e sedersi di continuo (deve accordarsi ai movimenti altrui), i canti, nenie che non sopporta, le preghiere. Le prediche: gli pare che siano, sempre, parole vuote, inattendibili, incoerenti. Ha maturato, nel tempo, un odio fuori misura verso i preti: era bastata l'orrenda pinguedine del professore di religione alle medie – lui entrava, Nino usciva, in tempo per sfiorarlo e lanciargli un'occhiata di sprezzo. Non gli piacciono, in verità, nemmeno le chiese: non ne discuterebbe mai a voce alta il valore artistico, e tuttavia qualcosa, sempre, lo opprime. Gli pare che il mondo, al loro interno, sia rimasto più fermo che altrove, immobile per decenni, per secoli. Lo disturba tutto: l'odore polveroso e fresco che dà sollievo nel cuore dell'estate, l'incenso, il fumo delle candele, il fiato degli infreddoliti la notte di Natale, il tintinnio delle monete durante l'offertorio, le candele finte, il suono dell'organo, piatto e prolungato come un allarme. Nemmeno l'arte sacra lo affascina. Si sente quasi spiato da quella folla di occhi – gli occhi della Vergine, di Cristo e di qualche santo che ignora, mentre il cielo si rabbuia sopra la croce, e un angelo, a sinistra, si volta come fosse stato chiamato per nome. Il cigolio delle vecchie, massicce porte di legno – nelle chiese di Roma – annuncia sempre l'ingresso di un drappello di turisti, giapponesi, americani, gente che alza sulla fronte gli occhiali scuri per non schermare la bellezza e poi, sedendosi, fa scricchiolare le panche. Non dobbiamo mai sentire Dio assente, dice il prete, la tunica verde del tempo ordinario, parla a voce bassa, la schiarisce di continuo dalla raucedine, Dio non è assente. Nino sorride, con l'indice cerca di allentarsi il colletto della camicia (sua madre alla fine è riuscita a imporgli la cravatta), si volta all'ennesimo cigolio, per impazienza, per guardarsi intorno, non si tratta di turisti, è entrata una ragazza, carina, una di quelle che lui si fermerebbe a guardare ovunque, i capelli lisci, castani, sportiva, però curata, una ragazza come Teresa, si siede in fondo, sull'ultima panca. Lui continua a spiarla con la coda dell'occhio: che ci fa una ragazza così in chiesa? Lei si raccoglie in preghiera, sembra Teresa – anzi, è Teresa –, sta lì due minuti, tre, lui non vuole perderla di vista, torna a voltarsi, lei si sta alzando, in quell'istante – mentre raccoglie la borsa da terra, e si fa il segno della croce. È Teresa. È Teresa. È Teresa.

Questo sì, sembra irreale, più del corpo di Cristo risorto nell'affresco della navata centrale, già alto sopra la terra – i custodi del sepolcro ancora dormono, la luce della salvezza non li ha svegliati. È qualcosa di irreale e di insensato, come se avesse cominciato a piovere al chiuso, come se il prete catarroso avesse preso a sfolgorare come un angelo. Era Teresa, era in questa chiesa – e pregava.

Per prima cosa si è rimesso a spulciare le fotografie di lei raccolte nel profilo Facebook, tutte, una per una, in cerca di segni. Le aveva già guardate di volata, appena conosciuta, solo per accertarsi che non ci fossero pose plateali in compagnia di ragazzi. Teresa che mangia il gelato insieme a tre o quattro amici. Teresa a una festa di compleanno. Teresa in pizzeria. Teresa con un vestito corto, nero. Teresa accanto a un'amica: indossa una maglietta bianca, scollatissima, si vede bene l'inizio del seno, la catenina al collo ha per ciondolo un crocifisso. C'è uno scatto che trova bellissimo, lei di profilo, al sole, i capelli raccolti sotto una fascia bianca, guarda lontano. Passa dieci minuti a scorrere immagini, non c'è niente che riporti a quella scena in chiesa – ne è stato turbato, forse più che se l'avesse vista baciarsi per strada con qualcuno. Avrebbe spiato con rabbia, con mortificazione. Ma qui c'è un disagio diverso, che non ha nome: non è solo fastidio, è anche stupore, e uno stupore che non ha niente di piacevole. Si sente imbarazzato, si sente stupido. Si sente perfino tradito, sì, almeno un po': avresti dovuto dirmelo. Poi ci pensa meglio: ma dirmi cosa? Che prega? Che è una che va in chiesa? Non sono cose che si dicono in una conoscenza superficiale. Poi pensa anche: io però non ho segreti. To', si dice, è tutto qui. Si mette a scorrere le sue fotografie. Non nascondo niente: io al mare, io a milioni di aperitivi, io che me la rido il giorno del mio ventiduesimo compleanno, io incravattato in mezzo a due ragazze vestite a festa, con le loro borsette dorate, io che faccio il coglione con un abito da donna, una specie di caffettano, io che ballo in un locale (la foto è scattata dall'alto), io su una spiaggia, mentre rido e bacio la tetta di una tipa, io con il dito medio alzato, io allo stadio, io in partenza per Londra, io a Londra, io che faccio il bagno al mare a ottobre, entro in acqua in mutande, mi fotografo da me, potevi anche non far vedere l'uccello, è il primo commento, i Mi piace sono 16, io in maniche corte accanto a un pupazzo di neve, io in tuta da sci, io quando ho fatto a teatro *Sette spose per sette fratelli*, io con un baschetto bianco, io quando avevo i capelli lunghi, io quando non avevo la barba, io nelle foto di scuola, l'epoca noiosa e cretina, io.

È lunedì, il problema è fare finta di niente stasera, fuori dal teatro. Oppure è meglio dire qualcosa? Qualcosa come: ti ho vista ieri in chiesa. E fine. E vedere che succede. Quando se l'è vista davanti – che fumava, come sempre, e poi abbassava il braccio destro e lo teneva come l'altro, lungo il fianco, un po' stretta nelle spalle, infreddolita – non ha avuto il coraggio di dirle niente. Non riusciva nemmeno a essere naturale. Perciò se n'è rimasto insolitamente zitto, lei l'ha notato, gli ha chiesto: sei giù di corda?, dandogli un mezzo abbraccio, amichevole, maschile. L'ha odiata. L'ha desiderata.

Che c'entrava, pregare, con lei? Pregare era una cosa da vecchie con lo scialle, da processioni di paese – quelle che tanto lo divertivano, vedendo oscillare pericolosamente la statua del santo per le salite ripide e strette di borghi medievali. Pregare era un'illusione del passato, un dialogo con il niente, un teatro simile a quello che fa un bambino con il suo amico immaginario, a quello che faceva lui con il pubblico fantasma nelle puntate di *Big Bang*. Pregare gli sembrava una debolezza, un segno di ottusità. Meno alla moda della cosiddetta meditazione – approdo di parecchi atei, spesso anche vegetariani, che a ridosso della mezza età facevano incetta dei libri di Osho –, era comunque una pratica, in questo spicchio di mondo, scaduta, fuori tempo massimo. E chi, a Oriente, si inginocchiava più volte al giorno in direzione della Mecca gli sembrava solo ostaggio di uno stadio meno evoluto della civiltà. Non che sulla questione avesse messo la testa per più di dieci minuti: aveva in sostanza liquidato il problema rapidamente, con lo stesso fastidio provato nel rispondere a una compagna di classe che in prima superiore – erano perfetti sconosciuti – gli aveva chiesto perché avesse deciso di non fare religione. Le avrebbe, per istinto, risposto: che cazzo vuoi? E invece le aveva sbattuto sul naso un'altra domanda – perché dovrei farla? – con un'aria di sufficienza che non lasciava spazio a repliche. L'aveva mortificata.

Il punto non era porsi il problema di Dio per risolverlo. Il punto era proprio non porselo. Era ridicolo destinare energie mentali a una convenzione tanto illusoria. E poi, detestava – a pelle, avrebbe detto lui – preti, suore, vescovi, cardinali, tutti gli emissari di un'istituzione ai suoi occhi lugubre e decadente. Al papa, con le sue mantelline rosse da ritratto del Cinquecento, pensava con ironia quasi benevola, come a un vecchietto imprigionato in un ruolo patetico, assediato da gentaglia corrotta, subdola, famelica, in abiti talari; se lo vedeva abbarbicato con tutte le sue forze a una roccia mentre la furia del vento era sul punto di spazzarlo via. E l'avrebbe, spazzato via. Quanto a precetti e comandamenti, gli sembravano la parte più comica di tutta la vicenda. Il sacramento della confessione era in vetta alla scala del nonsenso. Perché dovrei raccontare i miei cosiddetti peccati a un altro peccatore che fa da tramite con Dio? Il gioco del telefono con il grande assente. E comunque, niente da fare: si era masturbato, e lo faceva ancora, aveva usato decine e decine di preservativi, non si era preoccupato di resistere a nessun tipo di tentazione. Ma poi perché la religione si impicciava tanto del sesso? Che c'entra Dio con la castità? Si diventa migliori, con i genitali spenti? Era vero che, nella mente dei combattenti di Allah, c'era ad attenderli, dopo morti, un drappello di vergini? Non c'era bisogno di uno psichiatra per certificare la follia di ogni fede. Non c'era bisogno di uno storico per tenere il conto dei danni millenari provocati dai credenti all'intero pianeta.

La sera di giovedì grasso siamo rimaste a tavola fino a tardi. Teresa era passata a prendere un vassoio di dolci, è rientrata di buon umore. Chiamiamo per una pizza a domicilio stasera, ha detto, e sembrava allegra. Ce ne stiamo tranquille, parliamo un po', voglio dirti una cosa, ho preso una decisione, ha detto. Voglio cercare un altro lavoro. Sono rimasta zitta, l'ho guardata – prima con allarme, poi con sorpresa. Per la fiducia, per il gesto di confidenza come ritrovata, riaccesa. Sono stanca, ha continuato, arrivo a fine giornata senza una sola soddisfazione, non me lo merito, no? Ha riso, e di gusto, ma non con gli occhi. Per come sono andata via da Terracina, per tutto quello che è successo, dovevo accontentarmi, lo sai, e nemmeno potevo dire di no a un'offerta di lavoro che papà aveva trovato scomodando diversi amici, l'idea in sé nemmeno mi dispiaceva, lavorare in un'agenzia di viaggi aveva un'aria da commedia romantica, e di sicuro meglio di quello che facevo prima – smistare pratiche nell'ufficio Tributi locali del comune di Terracina. Sono arrivata a Roma alla fine dell'estate, ma ero sconvolta, te lo ricordi, non ero in me, e in questi mesi non mi sono mai guardata intorno, la città non esisteva, era tutta e solo viale Giulio Cesare e casa tua, nient'altro. Adesso, in tempo per la primavera, vorrei rimettermi in moto, fare cose diverse, penso di avere scontato abbastanza, non posso piangermi addosso in eterno.

Non l'ho interrotta. Quando ha chiesto: che ne pensi?, ho risposto che ero d'accordo, che era giusto, che a trent'anni non poteva condannarsi per un errore. Non chiamarlo errore, ha detto, con un tono improvvisamente duro. Ma le ho versato del vino, ho scartato i dolci, si è rasserenata subito, mi ha chiesto del teatro con curiosità appena un po' forzata, e poi, dal niente, di Nino. Tu cosa pensi di lui? Le ho risposto: se non fossi convinta delle sue qualità, non gli avrei affidato il corso. No, non intendevo questo, ha detto Teresa, non parlavo delle sue qualità di attore, volevo sapere cosa pensi di lui, di lui veramente. Gli voglio bene, ho risposto. Lei ha sorriso: sfuggi alla mia domanda. Mi mette curiosità, ha aggiunto, anche quando dice cazzate, vorrei capire di più, capirlo. È vitale. Direi, ha vent'anni, le ho fatto notare, come dovrebbe essere? Non c'entra l'età, non è solo quello. È belloccio, anche, e lo sa. Quando sorride, con quei denti grandi che sembrano ancora da latte, ha detto – e si è fermata lì. Avrebbe potuto aggiungere di avere scoperto, settimana dopo settimana, che il lunedì trovarsi davanti al teatro non le pesava più troppo, o che comunque le pesava molto meno che il giovedì, per dire. E che fumare una sigaretta sapendo che infine sarebbe arrivato, dicendo sempre qualcosa di divertente, di stupido, che l'avrebbe messa di buon umore, ecco, era piacevole. Si sentiva corteggiata? Era questo? No, c'era altro: alleggeriva il suo umore, la faceva stare meglio. Del lunedì, la giornata più faticosa, spariva, come la nuvola di fumo, la cupezza. Si sarebbe volentieri liberata di qualche anno, o ne avrebbe aggiunto qualcuno a lui, per parlargli più alla pari. Poi se ne dimenticava. E comunque, al momento, era l'unico che riuscisse a darle l'impressione di non essere sola in questa città, non del tutto. Pensava così poco, in sua presenza, a Terracina, a quello che era successo, a come era praticamente scappata, che rientrando a casa si domandava se non fosse, per qualche incantesimo, diventata un'altra. Entrata in una vita nuova, senza passato.

Dovete lavorare non sulle certezze, ma sugli interrogativi. Così ha spiegato Nino ai suoi allievi, che lo ascoltavano seduti su una panca come una squadra ascolta l'allenatore. Si tratta di un linguaggio teatrale fatto soprattutto di ambiguità. Si era preparato bene. Sulla lavagna aveva segnato da un lato i nomi dei personaggi, dall'altro i ruoli. La storia è molto semplice: siamo nel cuore del Settecento, siamo in Francia, c'è un giovane avvocato – si chiama Dorante – che deve occuparsi dei beni di una ricca vedova, Araminta. Lei si innamora follemente di lui nell'arco di un solo giorno, e in serata lo sposa. Ho pensato che Giancarlo sarà Dorante e Laura, Araminta. Poi abbiamo la signora Argante, madre di Araminta, che vorrebbe per la figlia un matrimonio diverso, il procuratore Remy, il Conte, un domestico, un garzone, la signorina Marton, cameriera di Araminta, che sarà interpretata sicuramente da Luciana, e due servitori. Uno, Dubois, è quello delle "false confidenze" del titolo, ma poi la domanda finale è: cosa è vero? Cosa è falso? L'altro servitore, che si occupa di Araminta, ha i panni di Arlecchino. Chi se la sente di interpretarlo? Timidamente ha alzato la mano il signor Renzo, che fa palestra due volte a settimana, sostenendo che per Arlecchino ci vuole un fisico atletico, come dimostra il caso di Ferruccio Soleri, ha detto, che ha più di ottant'anni e ancora salta e danza. Qui il signor Giancarlo ha lanciato un'occhiata a Nino, per verificare se avesse colto il riferimento, ma Nino non ha raccolto, ha spostato subito gli occhi, e ha continuato con piglio sicuro la sua spiegazione. Allora Laura, il tuo personaggio – Araminta – parla con distrazione, divaga sempre, si innamora ma non vuole innamorarsi, mente a sé stessa, teme l'impatto di una passione che potrebbe distruggerla. E Dorante?, ha domandato Giancarlo, sempre un po' accigliato, come reclamando attenzioni. Dorante, ha risposto Nino, è figura quasi crepuscolare. Ripeteva a memoria quanto aveva letto nell'introduzione del testo: ma è davvero così incerto, dubbioso, o sta puntigliosamente costruendo la sua bella commedia? Ha aggiunto che, secondo il drammaturgo, il tono distratto avrebbe dovuto essere quello prevalente, per tutti. Bisognava far sentire che dietro ogni battuta ce n'era un'altra, che c'era un rovescio, uno spazio di non detto.

Gli allievi hanno guardato perplessi il maestro. La loro principale preoccupazione riguardo allo spettacolo non era sulle finezze interpretative. Il vero problema per noi è mandare a memoria le battute, si è fatta avanti Luciana, ci devi aiutare in questo. Nino li ha tranquillizzati: esistono dei trucchi, ha detto, per esempio può essere utile stampare un copione con le battute degli altri personaggi e senza le vostre, anche ricopiarle a mano può servire, ma vedrete che prova dopo prova vi entreranno in testa. Avremo dei gobbi? Non pensateci adesso, ha risposto Nino, sentendo una tenerezza imprevista verso questi vecchissimi bambini indifesi. Per una volta, il loro ampio carico di esperienza era inservibile su tutti i fronti. La memoria lacunosa, gli occhi che inciampano, i movimenti impacciati: a Nino, sul momento, l'impresa è parsa disperata.

Ha dato il via alla lettura ad alta voce del testo, toccava subito ad Arlecchino, ovvero al signor Renzo: [*introducendo Dorante*]Abbiate la bontà, signore, di accomodarvi un momento in questa sala; la signorina Marton è dalla Signora, e non tarderà a scendere. DORANTE Vi sono obbligato. ARLECCHINO Se volete, vi tengo compagnia, nel timore possiate annoiarvi; in attesa, si fa conversazione.

Non era solo una lettura incerta e senza intonazione. Era un disastro. Sembrava non esserci un solo possibile punto di contatto – no, nemmeno il più remoto – tra Mancini Renzo, nato a Roma il 27.5.1941, e l'Arlecchino, e quelle stanze, quel mondo remoto, quella grazia un po' frivola e mondana. Non che con Dorante andasse meglio, ma la saccenteria spingeva il signor Giancarlo a leggere declamando, come un professore in pensione, come un attore di provincia, e questo in ogni caso lo faceva spiccare sulla monocorde resa altrui. Quando, alla Scena V, è arrivato il turno di Laura Perrotta e della sua prima battuta, si era creata più che un'attesa, la speranza che qualcosa si mettesse in moto, diventasse viva. ARAMINTA Marton, chi è quell'uomo che mi ha salutato con tanta grazia e che sta passando in terrazza? È di voi che ha bisogno? MARTON No, signora, proprio di voi. Brave, ha detto allora Nino per incoraggiarle, non siete più Laura e Luciana, siete Araminta e Marton. Dovete pensare come loro: una giovane donna aristocratica e la sua cameriera. Dovete muovervi, come loro.

E intanto le osservava – Luciana con una felpa fucsia, di pile, Laura elegantissima ma fuori moda, un cardigan marrone chiaro, i pantaloni a scacchi. Forse per la prima volta coglieva con esattezza il punto, l'istante in cui nasce l'attore. E lo coglieva proprio nell'intoppo: in questa evidente impossibilità, per Luciana e per Laura, di recitare altro che sé stesse, di balzare fuori dalle loro vite, per un attimo e per sempre, con tutta l'agilità e l'impudicizia necessarie a fingere così intensamente di essere Marton o Araminta da diventarlo. Ah, gli attori veri, i grandi! Lo splendore della metamorfosi quando si compie. Gli attori nelle sere di tutti i palcoscenici del mondo – quel loro sudare, sgolarsi, sbracciarsi, il loro travestimento di bambini ripetuto ogni sera, dopo le nove, per decine di sere: tutta una vita spesa a viverne altre. È magnifico, e terribile, se niente però ne rimane, la vera, le false, niente, tutto muore come la stilla di saliva che dalla prima fila si coglie, perla di luce che rotola nell'aria, il vento che fa il corpo mentre corre e raggiunge i gomiti degli spettatori, quando l'attore salta giù dal palco e attraversa il corridoio fra le poltrone; tutto, magnifico, muore, il fiato, il gesto, l'applauso.

Una battuta di Luciana, ovvero della signorina Marton, gli era rimasta impressa: È incredibile l'inclinazione che si può avere improvvisamente l'uno per l'altra.

Ha smesso di pensarci, uscendo dal teatro, perché costretto a chiedersi che cosa avrebbe potuto dirle. Ciao, intanto, e poi, sì – a costo di sembrare il solito, l'inguaribile – fai qualcosa domani sera? No, ha risposto lei, ho smesso a undici anni di fare qualcosa il martedì grasso. Ah. Nino non ha aggiunto altro. A lei per fortuna è squillato il telefono, l'ha pescato dalla borsa al modo consueto, come da un pozzo; lui si è messo a trafficare con il suo per non sembrare indiscreto. La prima frase che le ha sentito dire, dopo i saluti, è stata questa: sono sconvolta. Ci ha messo un po' a capire che non si trattava di fatti personali, no, ma delle dimissioni del papa. Erano state annunciate da lui stesso in mattinata, quasi nascoste dentro un discorso in latino a cui nessuno aveva prestato attenzione. Uno stupido lunedì di febbraio qualunque, il cielo di Roma lattiginoso e freddo. Nino era in un bar, qualcuno ha detto: si è dimesso il papa, lui ha pensato solo: che stronzata. Per un po' è stato impossibile connettersi a internet, ha aspettato, poi ha visto che era vero. Non gli è venuto in mente niente, niente di preciso almeno, ma con l'andare delle ore è diventato straordinario anche per lui un evento a cui in astratto non avrebbe dato peso. E adesso, però, voleva dirle qualcosa di intelligente al riguardo, qualcosa che la colpisse. Né poteva fare l'eco a ciò che tutti stavano dicendo: che il gesto era legato alle manovre occulte dei cardinali, alle trame della Curia, alla banca vaticana, alla fuga di notizie, ai preti pedofili.

Forse, ha azzardato, non voleva morire in pubblico come l'altro papa. Tu che ne sai dell'altro papa?, ha chiesto lei, serissima. Avevo quindici anni, non ero un bambino. Intanto aveva cominciato a piovere, si sono riparati sotto la tettoia, sono rimasti zitti. Il rumore del temporale ha coperto i suoni della città, l'acqua ha cancellato le auto, i passanti, le luci, via Carini, e quel buio umido li ha invasi, come una forma di tristezza. Teresa avrebbe voluto avere le parole giuste per spiegargli perché era scossa. E in quello stesso momento Nino si è fatto coraggio e gliel'ha domandato. Lei è partita con durezza, come una maestra irritata gli ha detto che notizie come questa segnano la storia, come si fa a essere indifferenti a un evento simile? E che non c'entravano le gerarchie ecclesiastiche, di cui molto poco le importava. C'entrava un gesto enorme e anche misterioso, potente e fragilissimo insieme. E comunque, per un credente, ha aggiunto, per milioni di credenti nel mondo questa scelta è sconvolgente: viene meno, all'improvviso e in un modo così, diciamo inconsueto, un punto di riferimento, una bussola. Per un credente, ha ripreso – e lui qui l'ha interrotta: con la domanda più semplice e imponente della vita: tu lo sei?

Teresa non ha risposto, ha sorriso – con imbarazzo, con dolcezza – e gli ha fatto una carezza: imprevedibile, leggera, materna.

Perché si sentiva così bloccato? Perché non riusciva a essere indifferente? Perché non provava nemmeno a dirle ciò che sempre aveva pensato, di questi argomenti e di tutto? Perché era così coinvolto? Perché gli stava incredibilmente a cuore entrare nella sua testa? E in tutto questo, perché aveva tanta voglia di fare l'amore con lei? La testa di Nino era affollata di domande come forse mai era stata, e questo lo sorprendeva, lo agitava. Aveva cominciato a soffiare un vento nuovo che muoveva i capelli e le idee, spalancava porte rimaste sprangate – senza un motivo, da sempre – e le lasciava a sbattere per ore.

Come foglie su un viale, prendevano vita e si ammassavano cose che sapeva e cose che non sapeva, orecchiate chissà dove, da chi, imparate a scuola e poi disimparate, seppellite nel disuso. La *Divina Commedia* e un vecchio Dio con la barba, Adamo, Eva, nudi, il Creatore che li punisce e da quel momento si coprono, Abramo, Mosè, quel mare di polvere e di violenza. I sacrifici dei Maya e degli Aztechi, petti squarciati per far nascere il sole, grosse rocce piene di rabbia per gli uomini in un giorno di burrasca, querce secolari abitate dagli spiriti, circoli megalitici, la Dea Madre, i Faraoni e le piramidi di cui si era occupato intensamente in una breve stagione della sua infanzia, con l'interesse ossessivo che solo un anno prima riservava ai dinosauri. Poi, in qualche bosco, sui monti, quello stormo di dèi volubili e stronzi, sempre innamorati, che sbraitano, fanno dispetti, scoccano frecce, animano le profondità marine e i sogni, piangono, mandano la pioggia e la guerra. Nino raschiava il fondo di un barile di nozioni archiviate nel tempo: tornavano a scorrere i ruscelli in cui si bagnano, nude, le ninfe, da quel mondo lieto e solare che un giorno si spezza come un incantesimo, e gli dèi volano via tutti insieme, come piccioni a un battere di mani, per non tornare mai più. Gente in sandali ne prendeva il posto, camminando nella polvere dei deserti, raccontando di un Dio che era uno e solo. Zarathustra, che per via di Nietzsche sarebbe finito sulle magliette, Confucio, Lao Tse e Buddha ridotti ad aforismi in voga fra radical chic, Gesù di Nazaret tradito dallo sfarzo cardinalizio, Maometto messo in imbarazzo dai terroristi. Le loro promesse di luce su luce! Fiori che spuntano per miracolo, acque che si lasciano attraversare a piedi, miracoli e resurrezioni – questa millenaria, interminabile favola di rivelazioni che si correggono, si cancellano l'una con l'altra, giù fino ai testimoni di Geova, agli attori invasati seguaci di Scientology, a quei ragazzoni felici nelle tuniche arancio, tutti persi, votati a questo illogico credere in ciò che vorremmo fosse vero.

Finalmente, vi siete seduti uno davanti all'altra, con l'ansia nuova di incrociare gli sguardi troppo a lungo, e che svelassero qualcosa che non potevate, non volevate dire. Nino era tornato a proporre una trasferta: la braciolata a Camerata Nuova l'abbiamo persa, ma resta comunque ampia scelta – la sagra della falia e broccoletti a Priverno, per esempio. Falia? Sì, è un tipo di focaccia. Siamo in tempo anche per una sagra della salsiccia vicino a Latina, e per la sagra della polenta rencocciata a Licenza. Quale preferisci? Teresa ha risposto che continuava a non capire perché lo divertisse tanto il folklore locale. Nino ha cercato nella testa una risposta veloce da darle, una risposta stupida e divertente, ma non l'ha trovata. Allora ha detto: se ne scegliamo una e ci andiamo insieme, cerco di spiegartelo. Sono già venuta una volta. Ma dicevo da soli, ha rilanciato lui, è appena passato San Valentino, no? Appunto, è passato, ha detto Teresa, mi dispiace. E si è messa a ridere, e avete riso insieme. Poi è stata lei a proporre di fermarsi a mangiare qualcosa, c'è un posto non lontano dal teatro, prendiamo un bicchiere di vino e un tagliere di affettati se ti va, hanno anche ottimi formaggi, è carino, la parete è piena di orologi, così non mi dimentico che lavoro in un'agenzia di viaggi.

Vi siete seduti uno davanti all'altra, dopo un po' Teresa ha chiesto di scambiarvi di posto, le arrivava una ventata a ogni apertura di porta. Si è guardata intorno, e le è passato per la mente il dubbio – gelido come l'aria fuori – che qualcuno notasse la differenza di età. Avete ordinato il tagliere, due bruschette – non saranno buone come a Casaprota, ma – e due calici di bianco. Avete brindato, a niente in particolare, poi Nino ha domandato:

tutti giù per lo scivolo
come dannati uccelli liberi

PHILIP LARKIN

Ti piace il tuo lavoro?

È un'intervista, Nino? Mi stai facendo un'intervista?

Sì. Diciamo che è un'intervista.

Non lo so se mi piace, il lavoro che faccio. È capitato. Penso sempre che c'è di peggio, molto di peggio che organizzare viaggi a gente che non ha imparato a farlo da sé. Ma vorrei cambiare.

Perché?

Per cambiare. Perché mi va di cambiare.

E cosa ti piacerebbe fare?

Non lo so, ma qualcosa che a fine giornata mi dia la sensazione di– che mi faccia sentire soddisfatta.

A fine giornata non lo sei?

Non per il lavoro in sé. Insomma, se vedo una coppia contenta per il viaggio di nozze che ha scelto, sì, certo, questo sì, mi fa piacere. Ma dopo avere stampato il ventesimo biglietto ferroviario mi spengo. E penso ad altro.

Tutti pensano ad altro, mentre lavorano.

Vuol dire che si annoiano. Io non voglio annoiarmi.

Non ti piace, non ti mette allegria nominare tante città del mondo, immaginare viaggi?

Sì, in questo sono imbattibile. Immagino sempre, immagino tutto. Ogni tanto mi volto, e guardo la carta geografica che ho alle spalle. E penso: chissà cosa succede laggiù, in questo istante. Tu non ci pensi mai?

No. Quasi mai.

Io di continuo. Perché sono qui e non altrove? Che cosa perdo a essere qui e non altrove?

Ti fai domande strane.

L'altro giorno ho letto di un ragazzo di quindici anni che abita a Goma...

Dov'è Goma?

Repubblica democratica del Congo.

Non saprei collocarla con precisione.

Africa centrale. A quindici anni, fa un programma in radio sui diritti dell'infanzia. Bello, no? Ecco, io leggo una storia così su "Internazionale" e penso a questo ragazzino che non conoscerò mai, a com'è la vita in Congo in una giornata qualunque, a tutto quello che non vedrò mai, non saprò mai.

Potresti fare un viaggio e andarci.

Figurati.

Perché?

Troppe ansie. Troppa paura.

Hai paura dell'aereo?

Anche.

E di che altro?

Di tutto, è un'ansia che non controllo. E comunque, non è nemmeno questo il punto.

E quale.

Non so spiegarlo bene, è come se non sapessi risolvere un problema.

Io non li sapevo risolvere mai, i problemi. Tipo: una signora va al mercato per comprare un chilo di mele, per arrivare percorre due chilometri in venti minuti, ti ricordi?

Sì.

E io pensavo soltanto: ma non poteva prendere la macchina?

Parlavo di un altro genere di problemi.

Lo so, scherzavo.

Il problema del mio rapporto con il mondo.

È un problema curioso.

Non ti chiedi mai che rapporto c'è fra te e il mondo? Fra te e quello che accade dove non sei? Fra te e i miliardi di persone che non conosci? Che rapporto c'è – *effettivo* – con tutti gli altri che esistono insieme a te?

Confesso: non me lo chiedo mai.

Lo capisco, sono pensieri–

Particolari.

È che tutto mi sembra tanto più grande della nostra capacità di prendercene cura. Ma forse è più normale che uno pensi alla propria vita e basta.

Be', a volte la propria vita dà un gran da fare.

Hai sempre una battuta?

Quasi sempre.

Vuoi dire che se ho questi pensieri, è perché posso permettermi di averli?

No, era una battuta, ti ho detto. E comunque, se allarghi troppo lo sguardo è normale che ti venga l'ansia. A volte il segreto è ridurre la prospettiva.

Forse hai ragione. Però non mi piacciono le persone troppo concentrate sulla propria vita.

Come le riconosci?

Danno l'impressione, quando parlano, che il mondo coincida con loro. Allora, in quei momenti, quando per la cinquantesima volta hanno ripetuto la parola io, penso alle distanze fra i pianeti. E mi viene da ridere. Li vedo camminare come dentro una bolla.

Sei strana.

Tu non lo sei? Hai lasciato tutta la tua parte di formaggio. Posso?

Certo.

Non ti piace?

No.

Lo vedi che siamo tutti un po' *strani*?

Sono strano perché non mi piacciono i formaggi?

No, ma le cose che ci piacciono o non ci piacciono, viste da fuori, hanno qualcosa di buffo. Sono misteriose.

A te cosa non piace?

La pioggia.

Intendevo cose da mangiare.

La pasta in bianco. La pasta con il sugo di pomodoro semplice.

Ordiniamo qualcos'altro? Intanto un altro bicchiere. Hai fame?

Dividiamo una focaccia ripiena?

Quale?

Guarda il menu, e vediamo se pensi la stessa che ho pensato io.

Io dico tonno cantabrico e olive.

Anch'io!

Possiamo sposarci, vedi, abbiamo molte cose in comune.

Il tonno cantabrico, certo, e poi...

Io sono un grande sostenitore del tonno, da sempre, in ogni sua forma. Uno specialista, diciamo.

Non so se i tonni siano d'accordo.

Ma io so come valorizzarli.

Non smetti proprio mai di scherzare?

A volte capita.

Per esempio?

Non sta bene dirlo davanti a una ragazza.

Smettila.

Quando faccio la lavatrice, non scherzo. Nemmeno se annaffio le piante, scherzo. Non hanno senso dell'umorismo.

Me la spieghi una cosa?

Se posso.

Perché ti diverte tanto andare alle sagre di provincia e fare l'intruso con la tua videocamera?

Di nuovo? È solo un modo come un altro di documentare la realtà.

E per fare ironia.

Sì. È molto grave?

No, ma vorrei capire.

Cosa può esserci da capire?

Il motivo che ti fa essere ironico sulla gente di provincia. Ti senti superiore?

Non mi sento superiore.

Sei nato a Roma?

Sì. E tu?

A Terracina.

Non ci sono mai stato.

Non ne avresti avuto il motivo.

Avrei potuto conoscerti prima. Quando sei arrivata a Roma?

Alla fine dell'estate.

E prima che facevi?

Lavoravo al comune.

Poi ti sei annoiata, immagino.

È una storia lunga.

Anche segreta?

Anche segreta.

Allora non insisto.

Anche se insistessi, non te la racconterei.

A volte sei un po' antipatica.

Lo so. Tutte le ragazze lo sono, a volte. Comunque essere nati in una grande città non rende superiori a chi è nato in un posto fuori mano.

Non l'ho mai detto.

Però lo pensi.

Questo lo dici tu.

L'ironia è un modo di sentirsi un gradino sopra gli altri. E di difendersi, anche.

È anche un modo di essere leggeri.

Quindi io sarei pesante.

Qualche volta l'ho pensato.

Vuoi che ti dica che cosa ho pensato io?

Che ho un gran fascino.

Sì, soprattutto questo. Il tuo nome è proprio Nino, Nino e basta?

Non ti piace?

È raro.

Mi chiamo come una fermata della metro, come uno stadio e come un lungotevere. Flaminio.

Flaminio.

Sì.

È molto bello. Molto elegante.

Non mi è mai piaciuto. E poi ho sempre pensato che, se volevo fare l'attore, non era il nome giusto.

Sbagli.

Volevo un nome mio.

E questo di chi è?

Di un bisnonno.

È tuo comunque. E a me piace.

Se vuoi puoi usarlo, ma è un permesso che do solo a te.

Ne sono onorata, Flaminio.

Mi fa strano.

Ti va un dolce?

Sì. Fanno una buona crostata.

Vada per la crostata.

Ancora un bicchiere?

L'ultimo.

Senti, volevo dirti una cosa. Ti ho vista in chiesa, due domeniche fa.

Quale chiesa?

Aquila e Priscilla.

Santi, Aquila e Priscilla. E quindi?

Niente. Mi sono stupito. Ero al battesimo del figlio di mia cugina, mi sono voltato – e ti ho vista. Eri nell'ultimo banco. Sei entrata, sei stata un po', sei uscita.

Lo trovi così strano?

Un po'.

E cosa ti appare strano, in particolare?

Niente, trovarti lì. In chiesa.

C'è chi fa cose più strane.

Eri lì per pregare?

Cos'altro è possibile fare, in una chiesa?

Sei ironica tu, adesso.

Sì.

Non volevo farti innervosire.

Non sono nervosa.

Ti stai difendendo.

Forse.

Credi in Dio, quindi.

Non è una malattia.

Mi fa strano.

Come sentirti chiamare Flaminio?

Di più.

Non conosci altre persone che credono in Dio?

Sì, qualcuno. Ma ha il triplo dei miei anni, di solito.

E sono tutti così *strani*! Pensi che credere riguardi solo i vecchi? Che sia una cosa di chi sta per morire?

No, ma credo che c'entri la paura.

Di morire?

Di tutto.

Pensi che sia un'illusione.

Sì.

E la cosa ti rattrista?

Le domande le stavo facendo io.

Rispondi. Ti rattrista?

Non capisco la domanda.

Se non fosse un'illusione, ti farebbe piacere?

Non l'ho mai vista in questo modo. So solo che è, un'illusione.

Tu lo sai.

So che non è razionale. Che non è scientifico.

Credi sempre solo in ciò che vedi? E che altro sai?

Che nessuno cammina sulle acque. Che nessuno torna dal regno dei morti. Che nessuno guarisce perché ha pregato.

Hai molte certezze.

No, semplicemente rifiuto le certezze di chi crede. La presunzione, di chi crede.

È la stessa di chi non crede. Non ti sei mai chiesto se stai sbagliando tu? Anche solo una possibilità su un milione.

No, perché ogni religione è un'evidente negazione della logica.

Pensi che tutto abbia una logica?

Penso che debba averla.

Hai mai avuto paura del buio, da bambino?

Sì, ma poi è passata.

Era logica?

No.

Però l'avevi. Fino a undici anni compiuti, dormivo con una lucetta accesa. Una specie di occhio verde spalancato per tutta la notte, vicino alla porta. Quando i miei me l'hanno tolto, ho creduto di morire. Quella notte ho detto una preghiera. E mi ha calmata.

Lo vedi che c'entra sempre la paura?

No. C'entra qualcosa che ti rasserena, ed è in te.

Qualcosa di che tipo?

Qualcosa che ti fa sentire al sicuro.

Ma non è detto che si chiami Dio, o Gesù, o Buddha. E comunque, non mi piace l'idea, non mi piace pensarci.

Non ti piace pensarci perché non hai mai provato a pensarci davvero.

Dio è un'invenzione umana. Un'autoconsolazione.

Solo perché sei ateo, non significa che non saresti felice se le cose avessero delle ragioni di esistere.

Riesco a essere felice anche senza avere in mano queste ragioni.

Forse sei solo distratto.

Si può essere distratti tutta la vita, è vivere che mi distrae.

Ti capiterà di essere un po' meno distratto, vedrai, almeno una volta capiterà.

Mi irrita questa tua– saggezza.

Non è saggezza, è esperienza.

Non hai ottant'anni.

No, e infatti le domande fondamentali se le fanno anche i bambini. Soprattutto i bambini. Tu quando hai smesso?

Non ho mai cominciato.

Pensi che non sia importante?

Penso che non sia utile.

L'idea che tutto ciò che abbiamo sia qui ti conforta?

Il punto non è se mi conforta o meno. È solo la verità.

Una verità senza prove.

Sì, esattamente come la tua. L'esistenza di Dio non è mai stata dimostrata.

Nemmeno la sua inesistenza. E comunque, Nino, ascolta. Non voglio convincerti di niente. Stiamo soltanto parlando.

Sembra che mi sfidi.

È quel pensiero che ti sfida, non io. Ma tu non gli dai spazio.

Perché dovrei? Se penso che se fossi nata in Egitto o in Iran saresti musulmana, e se fossi nata in Giappone–

È un modo un po' limitato di vedere le cose. E comunque sì, ne sono consapevole. Ma questo non toglie niente a ciò che sento.

Quindi?

Quindi niente. Ho sentito con le mie orecchie un tifoso dire che sarebbe stato romanista anche se fosse nato a Milano.

Scherzava.

Non lo so. Anche il non credere, a volte, diventa una fede. Ma loro non se ne accorgono. Quei genitori che sottraggono i figli all'ora di religione a scuola mi sono sempre sembrati un po' ottusi.

L'ora di religione, dopo le elementari, io non l'ho più fatta.

Temevi di essere plagiato?

No, non sopporto i preti, le suore, i vescovi, i cardinali. È più forte di me.

È un pregiudizio, e c'entra poco con il discorso che stiamo facendo. Vuoi saperla la vera differenza tra noi? Tu sei fiero di non credere, mentre io non lo sono di credere. Credere mi è necessario, tutto qui.

Ma il mondo—

Vuoi dire il mondo così carico di dolore, così dominato dal male eccetera eccetera? Il mondo mi sembrerebbe ancora più atroce, se non avessi la fede.

Non capisco come, e in cosa, possa aiutarti credere.

A sentirmi leggera, ma in un modo diverso da quello del gioco e dell'ironia. È come togliersi di dosso una corazza pesantissima.

Ho sempre visto un Dio che minaccia con l'indice puntato. Ti ascolto, ma non riesco a seguirti.

Non devi seguirmi. Non sto parlando per convincerti. Pensi che tutti quelli che credono si comportino come in una campagna elettorale?

Ne ho visti parecchi, comportarsi così.

Be', non faccio parte del gruppo.

Forse era meglio non toccarlo quest'argomento.

E perché?

È come la politica, si litiga all'istante.

Non stiamo litigando. O almeno, io non sto litigando con te. È solo che, ogni tanto, ho visto nei tuoi occhi qualcosa di più che lo stupore. Era come se mi compatissi.

Ho pensato la stessa cosa.

Allora facciamo che nessuno compatisce nessuno.

Allora facciamo pace.

Non abbiamo litigato.

Facciamo pace lo stesso.

Era come vedervi giocare a tennis con le parole: concentrati, se necessario rabbiosi – l'ansia di vedere se il colpo andava a segno. Guardandovi da fuori, si sarebbe potuto pensare a una lite, e qualcuno deve averlo pensato: quelle rese dei conti tra gente che non riesce ad amarsi più – la ferocia travestita da calma gelida. Quando il rumore di fondo è cresciuto, avete istintivamente alzato il tono della voce, è stato dopo la storia del formaggio lasciato sul piatto, più o meno quando Teresa ha chiesto: ti senti superiore? Le sillabe hanno cominciato a correre più veloci dei pensieri, e ciò che nella testa restava sfumato, confuso, nella pronuncia suonava netto e perentorio. Nino ha risposto: non mi sento superiore; avrebbe dovuto dire: non più, non adesso. Si è sentito invece come un supereroe con i superpoteri scaduti, tutto teso a scovare il segreto di quelli altrui. Quando Teresa ha detto: e comunque, Nino, ascolta– ecco, in quel momento gli occhi di lei hanno brillato di più: sereni, comprensivi. Allora le ha detto: sembra che mi sfidi, e forse per la prima volta ha sentito di avere davanti un mistero. Un mistero mascherato da ragazza, per questo tanto più indecifrabile e sì, anche fastidioso. Hai un vestito corto e mi parli di Dio. I capelli setosi, lucenti: cento volte li hai ravviati dietro l'orecchio, cento volte sono morto di desiderio. E mi parli di Dio e sei bellissima: sarebbe interessante sapere quanti si sono innamorati di te, non c'è un solo istante in cui sembri far caso alla tua bellezza, come se la cosa non ti riguardasse, come se non fosse tua.

Sarebbe sceso sotto al tavolo per guardarle le gambe e per cercare il trucco dietro il gioco di prestigio. E sai cosa?, avrebbe voluto dirle, interrompendola bruscamente, mi piace, di te, questo essere *adulta*. La tua testa di meccanismi complicati come un orologio, piccole ruote dentate, viti, rocchetti, leve e anelli, niente di più misterioso e di più perfetto, e certo uno poteva aver visto nascere i fiammiferi e la locomotiva a vapore, il primo lampione a elettricità, il telefono, il televisore o il primo computer grosso come un comodino, ma nulla poteva essere più stupefacente di te, stasera, davanti a me. E sì, della testa di un essere umano – d'altra parte, non era forse da lì che tutto era stato partorito, come Atena dal padre Zeus, i fiammiferi e la locomotiva a vapore, il primo lampione e il telefono?

Nino avrebbe dato chissà che – ed era forse la prima volta – per sentirsi a proprio agio in questo momento, con questa ragazza. Se fossimo abituati a dare voce ai pensieri per come le tempeste neuronali li producono, se fossimo sempre nudi e trasparenti, sarebbe tutto più facile? Be', lei gli avrebbe detto che comunque crediamo tutti in qualcosa. Gli alieni. I fantasmi. I complotti. Quel braccialetto al colloquio di lavoro. Le diete miracolose. Avrebbe aggiunto che anche Darwin, anche Einstein– ma no, non voglio farti nessuna lezione. Lui, più semplicemente, le avrebbe detto: mi piaci. Non so perché, non è una cosa che si può sapere, ma è così e basta. Lei gli avrebbe detto: tu mi rendi più leggere le giornate, esco da un periodo orrendo e da un gran casino, ma non mi va di parlarne, ed ecco, il fatto è proprio questo, se sto con te ci penso meno. In realtà, ruvida, gli ha chiesto quando avesse smesso di farsi le domande fondamentali. Non ho mai cominciato, ha risposto lui, fra orgoglio e stizza. E invece non era mai stato carico di domande quanto stasera. Su Dio? No, e nemmeno sull'origine dell'universo, sui buchi neri o sull'antimateria. Domande come: chi sono i tuoi genitori, che fanno? Quando hai dato il tuo primo bacio? Quando hai fatto l'amore per la prima volta? Com'era? Quanti ragazzi hai avuto? Com'eri da bambina? Che biancheria indossi? Lo faresti un viaggio con me, magari in futuro? Che tipo di musica ascolti? E i film? Tecnicamente, la sua voglia di conoscere era al suo punto più alto. Ma se pure davvero avesse fatto ciascuna di queste domande, e lei dato risposta per risposta, il mistero non sarebbe stato che sfiorato. Avrebbe, piuttosto, dovuto chiederle: dov'eri domenica 8 settembre 1996, quando io stavo per cominciare la scuola?

Lui ancora un bambino, lei già una ragazzina, tredici anni e un giglio bianco in mano, vestita elegante per la processione in paese. È una mattina di fine estate, è quasi mezzogiorno, sotto al sole fa ancora molto caldo, le vecchie agitano i ventagli, il megafono diffonde il loro canto imperfetto. *Lodate Diooo | genti di tutta la teeerra | cantate a Luiii | che tanto gli uomini amò...* Fratelli e sorelle dilettissimi, dice il parroco: legge da un foglio battuto a macchina, inciampa nelle parole. Una donna con la veletta scura lo osserva partecipe, materna, le mani strette al rosario – minuscola tartaruga arrivata a passi lenti da un'altra era del mondo. Suor Luigina guarda Teresa e la benedice con gli occhi: ricorda bene il giorno della sua prima comunione, era stata la migliore, aveva scritto con i pennarelli, su un foglio bianco: un giorno davvero importante! Sistemava di continuo la frangetta che le cadeva oltre il bordo degli occhiali, teneva le mani sempre strette, ogni tanto le apriva per asciugare i palmi sudati e per rassettare il tulle del suo abito bianco come quello di una sposa. La mattina presto, nel viavai dei parenti – gente elegantissima che in molti casi non aveva mai visto e millantava affetto, con una confidenza sospetta –, si era chiusa per dieci minuti in camera sua, e intorno e nella testa aveva fatto un silenzio speciale, un silenzio che non c'era mai stato prima. Si era sentita sola, spaventata e felice, pronta all'appuntamento con l'invisibile come a quello della vita. È stato così bello crederci così tanto: per un'ora, per un giorno. Le tempie battono forte, suor Luigina ansiosa spinge Teresa verso l'altare al momento dell'offertorio. Una volta in ginocchio – le palpebre serrate, le mani chiuse sul viso come un guscio –, Gesù è un'ombra che aspetta in fondo a un corridoio. Tre anni dopo ha imparato a parlargli da più vicino, senza bisbigliare, da silenzio a silenzio.

Davanti a quella ragazzina, Nino non avrebbe saputo che dire. Né forse l'avrebbe degnata di uno sguardo – l'apparecchio ai denti, le tettine a punta sotto la camicia. Ma forse solo lei potrebbe spiegargli – con parole infinitamente più semplici, e giuste, di quelle che Teresa ha oggi – che cosa prova quando prega. I gesti, quelli sono facili, basta la prima volta che entri in chiesa, basta tua nonna, si siede, ti siedi, si inginocchia, ti inginocchi, si batte il petto, ti batti il petto, nel tintinnio dei campanelli apri gli occhi, vedi l'ostia che il prete porta verso l'alto, vedi tua nonna con le nocche delle mani sulla fronte, non triste ma seria, serissima, concentrata, come sulle lettere della banca, di più, sicura di non poter capire tutto, ferma com'era alla terza elementare. La guardi un momento ancora, poi stringi di nuovo gli occhi, forte, ancora chiedendoti che frasi sussurra, che nomi, quando prega, e adesso fai come lei, stai pregando, ecco, è come fare il vuoto intorno e scendere dentro sé stessi, Teresa dentro Teresa, verso il centro del cuore di Teresa. Tua nonna rompe il guscio delle mani, si alza, ti alzi anche tu, a Dio non hai chiesto niente di preciso, se non, con tutta te stessa, di esistere, questo sì: e l'hai chiesto soprattutto per lei, per tua nonna, per quella fede che non crollava, che restava muta ma solida, davanti ai lutti, alle malattie, davanti a tutto, al marito che sbottava ogni tanto con una bestemmia, che cazzo preghi, e lei non gli rispondeva, restava zitta, aveva questa espressione, no, non offesa, solo triste, delusa, che Teresa non potrà mai dimenticare.

Bisognerebbe muovere tutti i calendari, il che non è dato, per mettere in sincrono i vostri tredici anni: la mattina in cui Nino li compie, sotto il tavolo della cucina, stesa, c'è una bicicletta con un fiocco e un biglietto legato al manubrio, lui sorride, ringrazia e spera che sia la premessa di un motorino l'anno prossimo. Teresa è sul pianeta lontanissimo dei vent'anni, dà una mano al campo scuola estivo, da sei ha tolto l'apparecchio e baciato il primo ragazzo. Era stato lui a insistere, lei ha solo chiuso gli occhi, senza nemmeno sporgere le labbra, è stato veloce e senza sapore. Il tempo più lungo di un suo fidanzamento è stato un paio di mesi: compiuti diciott'anni, le è sembrato giusto provare, senza troppa convinzione, si è trattato di tenersi la mano passeggiando per il corso il sabato pomeriggio, di baciarsi e poi esplorarsi, chiusi in macchina. Mai troppo però, mai fino in fondo. Per Nino le ragazze sono un'astrazione della mente, concrete solo come corpi nello spazio circostante, definiti dai leggings che portano con una precisione che a volte lo mette a disagio. È ancora vivo in lui lo stupore della prima goccia di sperma, è da un anno che ci riprova, anche due, tre volte di seguito, come il collaudo di un sistema idraulico ripetuto all'infinito. A scuola le cose non vanno un granché: benché faccia il pagliaccio per diverse ore, la campanella dell'ultima suona sinistra come una minaccia. Lui torna a casa, non c'è nessuno, mangia in fretta davanti alla televisione, si butta sul letto, impugna il joystick della Play e il suo pisello con gesti ugualmente veloci, comincia a fare i compiti quando è già ora di cena, e non c'è una volta che li finisca. Sua madre chiede, lui mente, lei non insiste, non le va di essere maltrattata. Suo padre si manifesta una volta o due al mese, in forma di fuoristrada che aspetta al cancello, Nino sale, fanno sempre lo stesso giro ascoltando variazioni jazz a volume alto senza dirsi niente, mangiano al McDonald's, e solo lì, con la bocca piena, fanno le stesse considerazioni, con qualche lieve variante, sul futuro prossimo. Nino ha smesso da poco di affacciarsi dallo schermo del televisore che il nonno gli aveva preparato per i suoi spettacoli domestici. Nell'ultimo paio d'anni ha visto cambiare lo sguardo su di lui, evaporare l'attenzione benevola alle sue messinscene. Si è sentito ridicolo, e solo. Così, adesso, non trova più il segno di un interesse autentico da parte degli adulti che ha intorno, non sa come verificarlo e in cosa, avrebbe bisogno di parlare con qualcuno, con qualcuno sul serio, qualcuno che non faccia domande, come il pubblico della sua trasmissione immaginaria, ma nemmeno in quella crede più. Perciò se solo sfiorasse, adesso, una ragazza come Teresa tredicenne, troverebbe gli stessi occhi comprensivi che lei anni dopo avrà per il povero emarginato Zannoni, con il suo panino alla verdura, la stessa capacità di ascoltare come una madre e di spingerti a piangere senza vergogna come una sorella. Ma solo con la testa di oggi Nino saprebbe raggiungere una piccola verità essenziale da comunicarle, e cioè che fare spettacolo, esibirsi, è un modo come un altro di chiedere amore. Il tredicenne alla tredicenne potrebbe solo chiedere un abbraccio, forte e casto, puro, che dica tutto senza dire, da silenzio a silenzio, come una preghiera.

Perciò è difficile dire quanti anni abbiano realmente Nino e Teresa stasera, adesso che stanno per salutarsi ed è già lunedì, e tra qualche ora sono sicuri di rivedersi e questo, per ragioni che cominciano a essere chiare, li conforta. Molto altro è rimasto sul bordo delle labbra, il confronto li ha elettrizzati, estenuati, la tensione si è caricata a poco a poco come quella che adesso scatena il temporale fuori, la pioggia cade con più insistenza, i lampi rischiarano un angolo buio di via Fratelli Bonnet. Quando Teresa dice: facciamo pace lo stesso, aggiunge un sorriso, il più aperto che può, e allora le sorride anche lui, per una volta senza prudenza, senza ironia, indifeso, e le dice: dai va', dammi un bacio. Lei si alza come per andare, prende la borsa e il telefono sul tavolo, gli va incontro per il saluto, guancia verso guancia, lui fa in tempo a pensare che è nel punto più vicino a lei da quando la conosce, nei pressi di quel residuo neonatale che è il lobo di un orecchio umano. Nino fa in tempo a pensare anche che di Dio, di tutte quelle storie, non gliene è mai fregato un cazzo, ma che stasera è diverso, tutto parla, tutto è in movimento, tutto gira e sarà anche l'alcol, l'allegria, sarà l'azzardo che lo spinge a spostare le sue labbra verso quelle di lei, se lei si volta non fa niente, pensa, proviamo, ed è bello, stupefacente, miracoloso, che lei non si volti, imprevisto e atteso, come ogni gesto che sia anche d'amore. Né si può più dire se siano un ventenne e una trentenne a baciarsi, accanto al tavolino, per il tempo minimo e sconfinato che può essere una manciata di secondi, se i secondi sono questi, e se non è in segreto che è accaduto, ma qui, in un locale, vicino alla parete di sinistra, tra il bagno e la cucina, dove nessuno potrebbe dire che un bacio tanto breve e pudico sia il primo; più facile sarebbe che fosse solo formale o di cessate il fuoco, se quel dialogo fitto e teso era la lite che sembrava. E invece è il primo e fa tremare, restare zitti e storditi e stupidi, con la confusione addosso di non sapere più di chi siano le labbra di chi, e i corpi in genere, e gli anni. Perché in una notte di febbraio tanto umida, tanto elettrica, del 2013, può accadere che un bacio simile faccia sentire i due che se lo danno, baciati anche all'indietro: per i tempi oscuri e ignoranti in cui era impossibile anche solo sospettare che l'altro – a qualche latitudine nemmeno troppo remota – ci fosse e, senza saperlo, aspettava.

La mattina dopo, il mondo è cambiato, benché sia rimasto lo stesso, pioggia compresa. Nino è uscito presto di casa, ha fatto colazione fuori – teso, nervoso, convinto che se avesse chiesto a un'edicola un giornale qualunque, il titolo a tutta pagina sarebbe stato: SI SONO BACIATI.

Non c'è notizia più rilevante di questa, del modo misterioso e veloce in cui si è scavato tempo e spazio un evento fino a lì mai considerato imminente. Metti le cuffie e ogni canzone arriva all'orecchio come scritta un minuto prima, al corrente di te, di voi, di un vostro potenziale futuro. Nino non ha avuto il coraggio di inviarle un messaggio: ha rimandato al momento in cui, stasera, la vedrà fuori dal teatro. Ti penso in continuazione – la frase sarebbe stata questa, ha girato nella testa ora dopo ora, tirandosi dietro il dubbio che per lei– D'altra parte, in questi casi occorre fidarsi di sé stessi, di ciò che si sente, ha pensato, rianimandosi, pronto a sfidare la giornata che ha davanti.

Ha raggiunto casa di Tommaso, si è buttato sul divano ridendo. Piazza dei Gerani! Piazza dei Gerani!, ha urlato di nuovo senza motivo, come una frase buffa e magica. Ma che cazzo ti ridi? Sembri imbambolato, gli ha detto Tommaso. Lo sono, non capisco più un cazzo. C'è di mezzo quella? Sì, l'ho baciata. Non ci credo. Te lo giuro. Non ci credo. Come è stato? Veloce. E poi? E poi niente. Quando la rivedi? Stasera. Vi siete scritti? No. Lei non ti ha scritto? No, e nemmeno io. È un brutto segno? Non lo so. Piazza dei Gerani!, ha urlato ancora, come ubriaco. Sei fuori di testa, Piazza-dei-Gerani, mettiamoci al lavoro, su. Nino ha fatto fatica a concentrarsi, a trovare un criterio secondo cui montare le tessere sconnesse dell'ultimo girato. Il più del tempo Tommaso ha dovuto ripetergli due o tre volte le stesse domande: che ne dici di alternare la nonna che impasta le pappardelle, velocizzando le immagini su una musica dance, e la lentezza della processione? Nino? Nino? Che ne pensi? Mi sembra una cazzata, ha risposto lui. Va be', ha detto Tommaso, oggi non mi pare proprio giornata. No, non è giornata, ha confermato, mentre l'amico chiudeva la finestra del programma di montaggio. Aspetta. Aspetto cosa? Adesso mi concentro. D'accordo, riproviamo. Quando gli è ripassato per la seconda volta davanti agli occhi il fotogramma di sé stesso che importunava un vecchietto senza denti seduto in piazza, Nino è esploso: che coglione. Che coglione, ha ripetuto, guardandosi nello schermo del Mac come in uno specchio deformante. Strabuzzava gli occhi a ogni frase incomprensibile del vecchietto di Casaprota. Che coglione chi? Io, io, che coglione io. Si può sapere che ti prende oggi?, ha chiesto Tommaso, stavolta con durezza. Non lo so, ha risposto Nino, sfregandosi il viso come un bambino stordito dal sonno. Non avrebbe saputo tradurre in parole l'imprevisto scontento di sé che gli era montato dentro – una confusione totale, al cui centro restava fermo il pensiero di lei. Il resto volava impazzito.

Domande, domande. Quella più sinistra chiamava in causa perfino la stagione eroica – così l'aveva a suo tempo archiviata – del teatro Orologio.

I copioni quasi scottavano fra le dita, i segni sul palco erano una storia di piedi a cui aggiungere i propri, l'odore di chiuso, di umido, di sudore e di fumo formavano il microclima da cui eri assalito appena in fondo alle scale. E c'era, in questo, qualcosa di eccitante e di sordido: il teatro, lì, non aveva niente a che fare con le sale alte e nobili in cui si metteva in scena l'ennesimo Shakespeare per signore vecchie e sonnolente. Era una cantina e un covo, uno spazio segreto e sotterraneo che inghiottiva alle nove di sera ventenni ambiziosi con la loro corte di amici e parenti. Ragazze in arrivo da aperitivi lunghi, belle e sensuali, pronte a esporsi all'avanguardia con la stessa incoscienza degli zii di chi era in scena. E capaci, come loro, di mascherare dietro a un sorriso l'imbarazzo e la perplessità, se qualcuno chiedeva: piaciuto? Ma era tutto tranne che facile dare un giudizio, avendoli davanti, all'attore che in scena aveva emesso suoni gutturali inquietanti, all'attrice che aveva finto di masturbarsi gemendo, al regista sudato, sfatto, che aveva orchestrato quell'orgia di corpi e di suoni senza costrutto. C'erano nonne accompagnate a forza, che andavano via senza avere capito una sola parola, né – per fortuna – quale fosse il nipote tra quelle figure schierate in mutande nella penombra.

L'applauso era liberatorio ma non sincero, spesso scattava fuori tempo, interrompendo un lungo e ispirato silenzio. Ma la soddisfazione non veniva da lì, non dai battimani: era nella complicità senza suono degli abbracci in camerino, nelle cene tardive, nei dibattiti accesi dai liquori e dall'amore di sé, che difficilmente la vita futura avrebbe nutrito a tal punto. Le illusioni erano al sicuro, né avevano questo nome, una locandina che facesse splendere il proprio bastava a ciascuno per avere certezze.

Quelle di Nino, adesso, vengono scosse: dal pensiero di Teresa come spettatrice – e non di uno spettacolo in particolare, ma di quell'intero tratto di vita. È una proiezione a ritroso, è il passato che cambia di segno, se Teresa appare tra il pubblico, all'ingresso del teatro, oppure a cena. Gli occhi di lei lo fanno sentire meno sicuro, difettoso: ora pensa quasi con imbarazzo a come si lasciava blandire da ragazzine che non avevano niente di importante da dirgli – tormentavano le molliche di pane, gli angoli delle tovagliette di carta, ripetendo: che bella voce che hai. Lui le lasciava continuare, sorrideva. La serata finiva in macchina, se lo lasciava prendere in bocca, le riaccompagnava a casa.

Aveva conosciuto molte attrici, di nessuna si era innamorato. Erano strane, magre e nervose. Sul palco, il loro viso era soggetto a incredibili trasformazioni; il corpo – così esposto, abbandonato, indifferente a sé stesso – perdeva sensualità, e difficilmente la riguadagnava fuori scena. Gli era capitato di lasciarsi prendere per mano, per ritrovarsi nelle loro stanze a guardarle piangere dopo l'amore – così, dal niente, si rannicchiavano su un lato, ancora nude, e piangevano. Ma cos'hai. Niente, non ho niente. Stai piangendo. Non è niente. Si aspettavano di essere abbracciate, di spalle, rassicurate e scaldate. Non ne aveva voglia. Guardava il soffitto per un po', la stanza senza luce – cumuli di abiti sulle sedie, libri e dvd in disordine – e poi si rivestiva. Convinto da una di loro, si era reso disponibile a fare parte della scenografia di uno spettacolo intitolato *Coño*, fica in spagnolo: senza dire una sola battuta, stava sul palco acconciato da trans, passeggiando tutto il tempo lungo la parete di fondo. Ma si sentiva peggio se riandava con la mente a testi solo cretini, roba che suscitava nel pubblico risate finte e un po' isteriche, una comicità che nelle intenzioni dei drammaturghi avrebbe dovuto competere con quella greve del cinema commerciale, e riusciva a essere perfino più idiota. Nino proiettava su tutto questo uno sguardo nuovo e non suo, giudicante come quello di Dio, di un dio neonato – abbagliante, spietato – al cui culto non poteva e non voleva sottrarsi.

Le prove non stavano andando benissimo. Sulla Scena V – cinque battute in tutto – c'erano ancora grossi problemi. Luciana, preferisco che improvvisi e cambi un po' la battuta, ma non fermarti! Quando dici: Sento che la Signora sta arrivando, abbassa la voce, è quasi un sussurro, devi avere un'aria di complicità con Dorante. Dorante, ovvero Giancarlo, si è intromesso subito per dire la sua, e cioè che Marton, ovvero Luciana, avrebbe dovuto quasi spingerlo fuori scena dicendo: Abbiate la bontà di ritirarvi un momento sulla terrazza. Nino ha lasciato correre, ha aspettato il secondo intervento a sproposito per ricordare al signor Giancarlo di non avere bisogno di un assistente alla regia. Luciana, ascolta, hai due battute importantissime in questa breve scena. Devi far risaltare la domanda che poni a Dorante: Il vostro amore mi sembra molto rapido, sarà altrettanto durevole? E poi l'altra, scandiscila bene, e con un po' di malizia: È incredibile l'inclinazione che si può avere improvvisamente l'uno per l'altra.

A cavarsela meglio di tutti era Dubois. Non aveva dato molto credito al signor Mario Menna, e invece – timido e silenzioso – si stava rivelando un ottimo interprete del servitore infingardo. Parlava in falsetto, il giusto per non sembrare finto, accentuava con i gesti le battute più enfatiche. Quando ha dovuto spiegare ad Araminta l'amore che Dorante ha per lei, è stato impeccabile: Vi adora; da sei mesi non vive più, darebbe la vita per il piacere di contemplarvi un istante. Vi sarete accorta dell'aria incantata che ha quando vi parla. Perfetto, signor Mario, perfetto! E mentre Mario Menna agitava le braccia, Nino lo guardava e pensava che sì, erano giusto sei mesi che lei c'era nella sua vita, e che sì, ahimè, signora, accadde una sera, mentre usciva dall'Opera: fu allora che perse la ragione... vi ha seguito fino alla carrozza; aveva chiesto qual era il vostro nome e io l'ho trovato come in estasi, non si muoveva più.

Anche Arlecchino faceva il suo: favorito da una lieve sor-

131

dità all'orecchio destro, il signor Renzo a volte sembrava davvero non capire gli ordini impartiti dalla signorina Marton. E in effetti Luciana a volte ripeteva la battuta, incerta se Arlecchino-Renzo avesse sentito. Sei proprio uno scioccone! Quando ti mando da qualche parte, oppure ti dico: fai questo, fai quest'altro, non ubbidisci forse? ...non ubbidisci forse? Sempre, ha risposto finalmente Arlecchino – e quell'esitazione pareva studiata, rendeva il personaggio come doveva essere, ottuso. Bene, per oggi basta così, ha detto Nino battendo le mani, e non era del tutto soddisfatto, e si vedeva, e Araminta, cioè Laura Perrotta, se n'è accorta, gli è andata vicino, gli ha detto: vedrai che alla fine verrà bene. Lui ha sorriso, aveva bisogno di essere confortato, come Dorante è confortato da Dubois quando si scoraggia: Credi che farà attenzione a me, io che non sono niente, che non ho beni? DUBOIS Non ho beni! Il vostro bell'aspetto, è lì il tesoro! Giratevi un po', voglio guardarvi ancora; andiamo, signore, volete scherzare, la vostra figura vale ogni possibile dignità, e la nostra impresa non può fallire, assolutamente non può fallire; mi sembra già di vedervi in maniche di camicia nelle stanze della Signora. DORANTE Che illusione! DUBOIS Sì, ne sono più che convinto. Voi siete attualmente in salotto e i vostri cavalli sono già in scuderia... L'amate? DORANTE L'amo con passione, ed è questo che mi fa tremare. DUBOIS Oh! Mi fate perdere la pazienza con le vostre paure: eh, che diamine! Un po' di fiducia; ci riuscirete, vi dico... Quando l'amore parla è lui che comanda, e parlerà! Addio, vi lascio, sento venire qualcuno...

Proprio di questo avrebbe avuto bisogno, un po' di fiducia. Su ogni fronte. Niente da fare: uscito dai panni di Dorante e rientrato in quelli di Righi Giancarlo, l'allievo più faticoso si è accostato a Nino per l'ennesima protesta. Se hai qualcosa da dire sull'andamento dello spettacolo, è esploso, lo dici a tutti, e non nell'orecchio di Laura. Non ho niente da dire. Ho capito che non sei soddisfatto di come stiamo recitando. Non ho detto questo. Laura è rimasta in silenzio, mortificata. Luciana ha detto: io non prendo le parti di nessuno, ma se non ti piace come stiamo andando, dovresti dirlo. Devi dirlo, si è corretta.

Nino si è sentito assediato, teneva gli occhi bassi, ha mandato giù la saliva, stava per reagire, quando Giancarlo l'ha incalzato di nuovo: guarda che noi lo paghiamo questo corso! E qui Nino non ha contato fino a dieci, nemmeno fino a tre, e l'ha mandato a fanculo. Ha girato le spalle, è uscito senza salutare nessuno. Fuori, sul marciapiede, non ha visto Teresa, l'ha cercata con gli occhi, a destra, a sinistra, niente. Certe giornate non si smentiscono, ha pensato, vanno di merda fino alla fine, e si è allontanato a passo di carica.

Prima di interrogarsi a fondo sull'assenza di Teresa, prima di decidere se attribuirla all'imbarazzo, a un ripensamento, a un semplice imprevisto, e come muoversi, ha destinato le energie mentali a maledire Righi Giancarlo, gli stronzi come lui – i vecchi. Non è stato nemmeno sfiorato dall'ipotesi che quella sua uscita inopportuna potesse provocare conseguenze, si è buttato sotto la doccia lasciando scorrere insieme all'acqua i suoi pensieri peggiori, i più crudeli. Sarò io che verrò al tuo funerale. Nell'arco di un minuto è riuscito a pentirsi non solo di avere accettato la proposta di quel corso, ma anche di essere tornato da Londra, e di tutto. E Teresa? No, adesso non stava pensando a lei, la rabbia lo offuscava al punto da voler prendere a pugni il muro. Ma come gli era venuto in mente di dedicarsi a un gruppo di settantenni che, per combattere la depressione, si davano al teatro? L'eterna rottura di palle di sentirli parlare sempre come se fossero appena sbarcati da un'altra era. Si guardano intorno come se fossero stati inviati da un'organizzazione aliena per rilevare, nel presente, le differenze col passato, il loro, e farle notare. Con un tono fra minaccia e lamento. Ma che cazzo volete? Cos'è che non vi sta bene? Che dovete morire? Rassegnatevi. Attribuiva a una forma di invidia insensata il loro borbottio costante, quel soffio catarroso che raggelava il mondo circostante e il suo entusiasmo – i nunzi dell'apocalisse imminente. Ecco, era questo: l'invidia per il tempo che un altro ha davanti.

Sul telefono non ha trovato notizie di Teresa, ma quattro chiamate senza risposta – ed ero io. Gli ho detto che avevo saputo, che ero stata avvertita di come si era comportato a fine lezione. E che mi sembrava assurdo – surreale, ho detto – dovergli ricordare come a un dodicenne che non poteva mancare di rispetto a un signore in età: e non solo perché è in età, ma perché è lì per fare un corso di cui tu sei responsabile, corso per il quale vieni, e lo sai benissimo, pagato. Sono molto delusa, ho aggiunto, se non addirittura pentita di averti affidato il corso. Non c'è bisogno, ha risposto lui con una voce cupa e cattiva, perché per me l'esperienza si chiude qui. Complimenti, gli ho detto, complimenti per la tua maturità Nino. Ne dimostri davvero tanta. Io mi auguro che lunedì prossimo, qualunque cosa tu decida, venga almeno a scusarti. E ti dico un'altra cosa: tutto mi aspettavo oggi tranne che di dovermi occupare di un episodio simile, la giornata è stata abbastanza pesante. Lo è stata anche per me, ha detto lui. Be', può darsi, ma temo non lo sia stata quanto la mia. Dov'eri?, ha domandato. Eravamo a fare degli accertamenti medici, ho risposto. Per chi?, è saltato su lui, ansioso. Per me, per me, stai pure tranquillo.

In una settimana, ragionava Teresa, in quella stessa stupida settimana, alla sconvolgente mole di fatti remotissimi e perciò impercettibili dal punto del pianeta in cui si trovava – un sisma di magnitudo 5,5 sulla scala Richter in una zona rurale dello Yunnan, Sudovest della Cina, tempeste di neve sul Nord degli Stati Uniti, una valanga nella Tuva, in Siberia, che aveva travolto e seppellito cinque ragazzi, il raduno di milioni di pellegrini per il rito di purificazione nel Gange, ad Allahabad, India –, a tutto questo, si aggiungevano la sfuriata di Nino, i risultati degli accertamenti medici, con conseguente e urgente radioterapia alla *mia* gamba destra, e l'elezione di un nuovo papa. Annunciata, questa soltanto, dal suono delle campane, arrivato nettissimo su viale Giulio Cesare. Chiusa l'agenzia, Teresa si è diretta a passo svelto verso piazza San Pietro, eccitata, gioiosa. Era, per lei, una prima volta. E forse proprio per la prima volta si è sentita parte della città, della folla che letteralmente correva verso il colonnato, la piazza già strapiena, la terza fumata era stata la buona, bianca, non subito, sembrava nera, invece era bianca, bianchissima e spumeggiante, una nuvola che sgorgava dal comignolo, la gente ha cominciato a urlare, ad applaudire, a scattare fotografie, ad agitare gli ombrelli, a chiuderli, a saltare, a ridere, a piangere, a muovere le mani, ad agitare le bandiere – le sette di sera di un mercoledì di metà marzo, due papi nello stesso momento.

Teresa è riuscita a farsi largo in un corridoio laterale, sulla destra guardando la facciata abbagliante della basilica, è arrivata appena prima che un cardinale magro e malaticcio scandisse: Habemus papam. Non si è capito bene il nome, si è capito che aveva scelto, come papa, Francesco. Sei uomini in giacca e cravatta hanno srotolato dalla loggia un drappo grande come un tappeto, e finalmente dal sipario rosso, dietro una croce, è sbucato l'uomo vestito di bianco, si è sentita la musica di una banda, era l'inno d'Italia, fra le urla e gli applausi, si è sentita la prima parola, che è stata: fratelli. Una parola così semplice, così confidenziale – buonasera –, è rimbalzata sulle teste di tutti producendo stupore, come fosse stata appena coniata. Con la sua cadenza allegra, sudamericana, ha detto il *Padre nostro* inciampando su qualche sillaba, l'ha dedicato all'altro papa, e poi ha detto l'*Ave Maria*, inciampando di nuovo, il Signore è *conti...* Preghiamo sempre per noi, l'uno per l'altro, preghiamo per tutto il mondo, ha detto piano.

E nel silenzio incredibile, maestoso, che è seguito alla sua richiesta dolce e perentoria insieme – pregate per me – Teresa ha sentito che questo era possibile, pregare l'uno per l'altro, fra sconosciuti, e pregare per il mondo, contenerlo nella mente, stringerlo come il colonnato del Bernini stringe lei e questa folla, lei come parte di un corpo più largo, lei nella somma di migliaia di corpi accanto al suo, tornati ad agitarsi in un tifo da stadio. Fran-ce-sco, Fran-ce-sco. Teresa ha stretto le mani, ha chinato il naso verso gli indici, si è commossa, mentre sentiva il suo io, se così poteva chiamarlo, disperdersi, ma senza cancellarsi del tutto, in un orizzonte più vasto. E tutto questo era vero, tutto ciò che sentiva era vero, non era un'illusione, non poteva esserlo, lo slancio, l'emozione senza nome, il vortice di pensieri: si è chiesta che cosa potesse provare l'uomo vestito di bianco, che cosa stesse provando adesso, e non è riuscita a immaginare, ha sentito solo una stretta allo stomaco, si è ricordata dell'altra elezione: era aprile, aveva appena smesso di piovere, uno squarcio di luce chiara sopra la cupola aveva invaso lo schermo del piccolo televisore di sua nonna e il salotto, si è ricordata che del cardinale tedesco eletto papa le erano sembrate arretrate parecchie posizioni, e invece bellissimo il discorso al funerale del predecessore. Il vento faceva volare tutto, perfino i copricapi dei vescovi, dei cardinali, con furia gentile sfogliava le pagine della Bibbia aperta sulla bara di legno, mentre il vecchio cardinale raccontava del giovane studente Karol innamorato della poesia, della letteratura, del teatro soprattutto, lavorava in una fabbrica chimica, lì aveva sentito la voce del Signore: seguimi! Seguimi, dice Gesù risorto a Pietro. Il vecchio cardinale lo ripeteva quasi a ogni frase, tre, quattro, cinque, sei, sette volte: Seguimi!

La mattina dopo, Teresa ha organizzato un viaggio in Namibia per un gruppo di sessantenni, tredici giorni con traversata delle dune di sabbia di Sossusvlei, considerate fra le più alte al mondo. Ha aggiunto la Namibia all'elenco mentale di luoghi che probabilmente non vedrà mai. Gli ultimi della lista, sempre ispirati da viaggi altrui, in ordine di tempo: la cascata più imponente d'Europa, a Dettifoss, Islanda, un altro deserto, quello del Gobi, popolato di cammelli selvatici, e la Grande Muraglia cinese – è rimasta incantata dalla pagina 18 di un dépliant dedicato a Pechino e Shanghai: viaggio con pensione completa, soggiorni presso l'Hotel Grand Mercure Beijing Central, quattro stelle con area sport e benessere, e Central Hotel, quattro stelle con salone di bellezza, quarto giorno dedicato all'escursione nei dintorni di Pechino con visita alla Grande Muraglia, in serata trasferimento al famoso ristorante Quanjude per una cena banchetto, tra i numerosi piatti verrà servita la rinomata anatra laccata.

Nella pausa pranzo ha pensato di chiamare Nino, indecisa se cominciare da un rimprovero per la storia del corso di teatro, se raccontargli degli accertamenti medici e spiegargli così l'assenza di lunedì, o dall'emozione provata in piazza San Pietro. Ma avrebbe capito? Il telefono ha squillato a vuoto. Si è rifatto vivo lui con un messaggio, ore dopo: scusami, ho un po' di casini, ti richiamo. Non ha richiamato. Ha azzardato lei, pentendosi subito: vediamoci se ti va, così parliamo.

E così era stato, quella sera stessa, con un'ansia che era cresciuta per entrambi ora dopo ora, quasi che un appuntamento preso al volo e un po' per caso fosse diventato nella vostra testa decisivo e fatale. Nino era scivolato dal malumore più cupo a un'angoscia intermittente, un timore da esaminando, incertezza mista a eccitazione. Era lusingato che la proposta fosse partita da lei, non l'aspettava. Teresa si era trovata più volte sul punto di tornare indietro, di scrivergli che aveva avuto un imprevisto, non l'ha fatto, si è cambiata di corsa, sarebbe passato lui a prenderla con la famosa Panda, è scesa in anticipo sotto casa e, aspettandolo, ancora una volta ha avuto un dubbio. C'è un posto che fa panini buoni, al Pigneto, oppure uno che fa i muffin salati, ha aperto da poco, su via Ostiense, io ne ho uno preferito, pancetta e zucchine. Avete recitato un'allegria che in dieci minuti è diventata vera, e in dieci minuti è evaporata – quando Teresa ha tirato in ballo la storia del corso di teatro. Scherzavi, spero, quando hai detto a mia zia che hai deciso di mollarlo. L'ha detto con un tono freddo e accusatorio. Non ho firmato nessun contratto a vita, ha risposto lui, brusco. Hai semplicemente preso un impegno, forse è il caso di portarlo a termine. Non è un problema tuo. Ti dico quello che penso. Vi siete guardati male, infastiditi, il silenzio è durato poco, fino a che Teresa ha detto: sarebbe molto deludente. Cosa? Sarebbe deludente tutto. Ci devo pensare ancora, ha borbottato Nino, tenendo gli occhi bassi sulla metà del muffin che non aveva più voglia di mangiare. Non c'è da pensarci molto, mancano un paio di mesi alla fine del corso, ti pare uno sforzo impossibile? Non ne ho più voglia. È una risposta da ragazzino. Posso permettermi frasi da ragazzino, ogni tanto? Come vuoi. Scusa se sono più giovane di te. Teresa non ha risposto, ha alzato gli occhi, lui ha detto: va bene, scusa, sono nervoso. Sono nervosa anch'io, ma non mi va di discutere, provavo solo a farti capire che stai sbagliando. Tu non sbagli mai? Sì, sbaglio e ho sbagliato tante volte, ma– Ho capito. No, non hai capito, voglio solo darti un consiglio, niente di più, penso che sarebbe davvero stupido. Sì, d'accordo, può essere stupido, ma alla fine cosa cambia? Oh niente, per la tua carriera niente, quei vecchi non fanno la differenza. Non parlavo di carriera, parlavo in generale. Be', Nino, in generale, in generale saresti uno stronzo, ti basta? Non sarei l'unico. Vuoi metterti a fare una gara? una gara con persone che hanno il triplo dei tuoi anni? No, non è questo, è solo che non mi va più. "Non mi va" è un'altra frase da ragazzino, "non mi va" lo si dice dei compiti o della verdura sul piatto, ma a dieci anni. Nino è rimasto zitto, ha guardato l'ora, ha detto: andiamo. Dove? Non lo so, facciamo un giro, continuiamo a parlare in macchina. Ma io ho finito Nino, ti ho detto quello che dovevo dirti. Va bene, andiamo lo stesso. Non fare l'offeso. Ha girato la chiave e si è accesa la radio, passava una canzone che diceva *I don't know where I belong*, che forse era una frase giusta per quel momento e forse per tutti e due, era una canzone d'amore come quasi tutte le canzoni, Nino lì per lì non ci ha fatto caso, era veloce, ritmata, ha abbassato mentre il cantante diceva *I don't know where I went wrong*, il resto è rimasto in sottofondo, e nessuno dei due ha sentito il verso che diceva, melenso e sibillino, *Love we need it now*. Teresa aveva ripreso a parlare, anche per sciogliere l'imbarazzo di quella vicinanza. Mi dispiace vederti così, ha detto. Nino si è voltato, l'ha guardata – la gonna sopra il ginocchio, un maglioncino rosso, di lana leggera, si stava sfilando il berretto di lana – e l'ha desiderata. Così come?, le ha chiesto. Così diverso da come saresti, da come *eri*. Non sono cambiato. Eri spensierato, solare, non lo sei più, è un vero peccato. Gli ha sorriso, lui l'ha intuito con la coda dell'occhio. Dove stiamo andando? Non lo so. Questa che zona è? La zona dell'università che avrei frequentato, se avessi deciso di frequentarla. E invece non l'hai frequentata. No. Sei pentito? Non ancora. Avresti fatto Lettere? E siete andati avanti così, senza dire niente di importante, niente di preciso, Teresa ha raccontato degli esami di Economia a Latina, del poco entusiasmo che ci metteva, del fatto che comunque le mancava quel periodo, le mancava tutto, anche i sabato mattina, anche le lezioni di analisi finanziaria che finivano alle sette di sera, proprio in questa stagione nei tramonti sul mare c'era un indizio d'estate, dovresti vedere. Nino l'ha interrotta dicendo: e poi sei venuta a Roma – e non era una domanda, aveva solo proseguito lui il racconto. Lei si è fermata, lui le ha detto: non ho fatto nessuna domanda, lei ha sorriso, dolce rassegnata triste, ha detto: c'è di mezzo una storia che è finita male. Lui ha detto: non è grave. Lei ha detto: a volte lo è. E mentre lui continuava a sdrammatizzare, a dire che tante storie finiscono male, la maggioranza direi, e che non voleva riportarle alla mente brutti ricordi, dai basta così, cambiamo argomento, proprio mentre diceva cambiamo argomento, lei ha detto: dovevamo sposarci.

Nino è rimasto immobile, almeno all'inizio, poi gli è sembrato naturale sfiorarle la nuca, era un modo per farle coraggio, ha aperto il cruscotto sfiorandole le gambe, ho delle caramelle, ha detto, lei ha fatto no con la testa, lui ha chiuso il cruscotto, ha riportato la mano dov'era – le stava accarezzando i capelli. Le stava accarezzando i capelli. Non mi piace vederti così, le ha detto, con un tono giocoso, per fare eco alla frase di lei mezz'ora prima, e visto che restava zitta, ha alzato la musica, è passata una vecchia canzone, sempre d'amore, che non ha fatto in tempo a ricordare, perché lei l'ha fermato, portando una mano su quella di Nino che ancora armeggiava con il volume. Teresa ha ripreso a parlare dal punto in cui si era interrotta, gli ha spiegato che era stata la sua storia più importante, la prima vera, e che c'era un progetto e tutto, c'era stato il corso prematrimoniale in chiesa, c'era stata – era questo che contava – una promessa, un impegno. Un impegno, sì, davanti alle famiglie, a tutti, davanti a Dio. Nino aveva in testa milioni di domande, la prima curiosità e anche l'ultima l'avrebbe portato a chiederle se– ma no, era una stupida e morbosa curiosità che lei forse aveva intuito, senza raccoglierla, e comunque no, non avevano aspettato, ma non era questo il punto, il punto erano stati i dubbi che crescevano in lei, gocce da un lavandino che perde di notte, poteva non pensarci ma ci pensava, e alla fine gliel'aveva detto – una sera, dopo cena, lui era rimasto calmo, gli aveva detto solo: Andrea io ho dei dubbi, non so nemmeno perché, lui era rimasto calmo, calmissimo, calmo in un modo un po' inquietante, aveva chiesto il conto, l'aveva riportata a casa, non si era fatto più sentire. Dopo tre giorni di silenzio, di messaggi a cui non rispondeva, l'aveva raggiunto dov'era, a Bruxelles per lavoro, prendendo un volo che l'aveva fatta stare malissimo, un volo di merda, e lui non si era fatto vivo nemmeno lì, lei era rientrata a Terracina senza sapere cosa dire, seguitando per un po' a sottoporsi alla tortura dei preparativi, l'abito già scelto, i ristoranti, i tavoli, e qui ha cominciato a piangere come aveva pianto davanti a sua madre un tardo pomeriggio, estenuata, dicendole fra i singhiozzi che non sentiva Andrea da venti giorni, da quasi un mese. E non era vero che le cose si sarebbero rimesse a posto, che bastava aspettare, parlarsi, a lei era stato subito chiaro, e non aveva la forza, nemmeno la volontà forse, per insistere. Puoi capire come ci si sente?, ha chiesto a Nino guardandolo negli occhi dopo avere parlato fin lì fissando il vuoto, il buio su via Valco di San Paolo, dove si era fermato quando lei aveva cominciato a piangere. Puoi capire come ci si sente? No, non lo so se posso capire, provo a immaginarlo. Be', ci si sente male, malissimo. Anche perché ci sono gli altri che cercano di farti sentire così. Bugiardi, ingiusti, e soli. Sai come ci si sente? Strani. Basta, ha detto Nino, basta. Basta Teresa, ha ripetuto. E ha avvicinato il viso a quello di lei, il naso al suo, ha sentito l'alito di lei, nuovo, un po' acido, caldo, ha portato la mano all'altezza dell'orecchio sinistro di lei, l'ha lasciata lì, il poco tempo prima di decidersi a baciarla, sicuro, quasi sicuro che non si sarebbe spostata, non stavolta, non stasera. Nino ha fatto pressione con le labbra contro quelle di lei, le ha sentite schiudersi, ha seguitato vorace, cercando la sua lingua, poi da solo si è detto: calmati, e si è spostato sul collo, ha baciato la scia del profumo, l'ha sentita emettere un piccolo ah, a voce molto bassa, è rimasto fermo con il viso schiacciato sulla sua spalla, accarezzandole intanto la pancia sotto al maglione, la radio come un ronzio che venisse da fuori, come il vento di questa sera finalmente senza pioggia, e dentro il fruscio degli abiti, è stata lei a sfilarsi velocemente il maglione, è stato lui a spingerla con un gesto a togliere anche la canottiera nera, lei lo ha fatto, è rimasta in reggiseno, lui l'ha fissata fino a imbarazzarla, lei allora ha fatto per togliere la maglia a lui, e si è chinata quel poco che serviva ad afferrarne i bordi, Nino le ha guardato di nuovo, e meglio, i seni, Dio, ha detto tra i denti, e quasi ha tremato, di freddo, anzi di desiderio, quando lei gli ha aperto la camicia e lo ha baciato appena sotto il collo, e poi è scesa, di poco, e subito risalita al centro del petto, lui con le mani a coppa, piano, le ha cinto la nuca, spettinandola, e ha fatto una pressione minima, leggerissima, davvero leggerissima, lei gli si è opposta di colpo, netta, turbata, ha spostato la testa verso l'alto, si è puntellata con un braccio sulla gamba di Nino e gli ha sfiorato l'inguine, ha ripreso a baciarlo sulle labbra, lui a carezzarle la pancia, sotto l'ombelico, ha azzardato ancora, è sceso, lei non lo ha fermato, non lo ha fermato più, il resto è andato come doveva, tutto è stato arrivare qui – dove i corpi di due estranei, queste macchine complesse, si trovano e cominciano a sentirsi intimi, dove desiderio e fiducia allentano le difese, non sempre e mai tutte, dove il mondo si cancella oltre voi due, milioni di chilometri di niente, il buio del quartiere Ostiense, mezzanotte e tre quarti, gli alberi scossi, le foglie appena umide nel punto di rugiada, quattro gradi sopra lo zero, l'università spenta e lugubre come un sacrario, il silenzio delle case intorno, i sonni e i sogni altrui, e forse un'altra auto, due o tre posti oltre, che palpita come la vostra e come un cuore, l'ultima settimana d'inverno, le idi di marzo – questo miracolo del presente. Le canzoni alla radio si sono confuse nella stessa indistinguibile onda sonora, coperta a tratti da quella emessa dalle vostre bocche aperte, smorfie che sempre somigliano al dolore: si può sorridere solo nella distrazione, quando a vedersi da fuori ogni gesto risulta innaturale, impacciato, il piede di Teresa che si incastra nel passaggio da un sedile all'altro, lo sforzo di Nino nel tirare via i pantaloni, e la complicità di lei, vedendo che non era pronto, che non era duro, impensabile, inglorioso. Lei non ha voluto sentire, sapere niente, sapeva cos'era – emozione – e le è stato bene così, così era giusto, e vi siete andati incontro per baciarvi, lo stesso momento, finalmente, con la stessa volontà, e questo evento impressionante e sconosciuto che era la mano di lei – la mano *di Teresa* – sul tuo sesso di ventitreenne: a quell'ora di notte nuova e miracolosa come una nascita, in quel mucchio di minuti irripetibili e per sempre.

Nessun segno esterno rende visibili eventi così difficilmente dimenticabili: c'è il preservativo accartocciato e anonimo sull'asfalto, c'è il formicolio che vi è rimasto sulla pelle, nei muscoli, per ore, impedendovi di dormire subito. Così, nell'attesa, Teresa si è rimproverata per non avere chiesto a Nino una promessa – la promessa di portare a termine il corso. E poi, avrebbe voluto, dovuto dirgli com'erano andati gli esami medici – i miei famosi accertamenti – ma non ne aveva avuto voglia: era già così difficile mettere insieme due o tre frasi qualunque per riempire il silenzio dopo essersi rivestita. E Nino, Nino si è buttato sul letto, le braccia incrociate dietro la testa, ogni angolo del corpo ancora caldo, dopo essere stato a lungo con gli occhi fissi nel vuoto o al soffitto ha spento la luce, senza nemmeno lavarsi i denti, sperando che il buio bastasse a placarlo. Niente. Ha finito per toccarsi – lento, incredulo, teso a riafferrare l'intensità di poco prima, ma senza fortuna. Giù il sipario, nessuna replica è lo stesso. Teresa ha ripescato, fra i libri in attesa sulla scrivania, quello che Nino le aveva regalato. L'ha aperto a caso, dove Verne dice che il signor Fogg non viaggiava, descriveva una circonferenza. È andata al punto dove Nino aveva lasciato un'orecchia, ne ha cercato nella pagina la ragione, non l'ha trovata. Si è chiesta se l'avesse letto tutto oppure lasciato lì, poco prima della metà, a pagina 128, dove Verne dice che Phileas Fogg assisteva con la consueta impassibilità allo spettacolo del mare in tempesta. Poi ha ripreso dall'inizio, Nell'anno 1872 la casa al numero 7 di Saville Row, Burlington Gardens, le è sembrato familiare, come i romanzi di cui si sa qualcosa senza averli letti, come una storia per ragazzi, familiare perché c'era qualcosa di loro, c'era Londra, c'erano i viaggi sognati, e c'era il mondo. Ha ridato valore al regalo, se n'è rallegrata, ha sorriso alla frase Era un uomo che doveva avere viaggiato molto – con la mente, se non altro. Ha sorriso ancora, andando a capo, alla frase Era tuttavia certo che Phileas Fogg non

lasciava Londra da anni. *Coloro che avevano l'onore di cono-*
scerlo meglio attestavano che nessuno potesse affermare di
averlo visto se non lungo la strada diretta che percorreva ogni
giorno per andare da casa al club. È andata avanti tre, quattro
pagine, ha chiuso gli occhi sulla domanda Siete francese e vi
chiamate John?, li ha riaperti, forzandosi un po', su Passe-
partout che elenca tutti i mestieri che ha fatto, il cantante am-
bulante, il cavallerizzo in un circo – *dove volteggiavo come*
Léotard e camminavo sulla corda come Blondin –, il professore di ginnastica, il sergente dei pompieri a Parigi – *e nel mio*
stato di servizio vanto incendi di un certo rilievo. E qui finalmente ha preso sonno, beata come una bambina dopo una
favola, distesa, serena come una donna dopo l'amore.

Mi ha detto: sei riuscita a umiliarmi. Era arrivato in ritardo: non sapevo se si sarebbe presentato – non avevo più domandato, lui era sparito nel silenzio. Avevo intanto cominciato a fare lezione, come se niente fosse, nessuno ha chiesto di lui se non con gli occhi. Quando è entrato, mi sono limitata a un cenno, lasciandolo nell'impaccio di non sapere come muoversi. Gli allievi hanno mostrato la stessa incertezza, lo stesso imbarazzo davanti a un'autorità superiore che aveva destituito la precedente. Si è letteralmente seduto in panchina, docile davanti a un castigo così plateale da non consentire reazioni. Sono andata avanti, fingendo di essere al corrente anche di ciò che non sapevo, insistendo sulla velocità nei cambi scena, su Luciana che doveva rendere più chiaro un sentimento del suo personaggio. Devi mostrarti convinta che Dorante sia innamorato di te. E come? Be', le battute che dici non bastano, devi lavorare sui gesti, sugli sguardi, quando sei in sua presenza, estremizza il tuo interesse per lui, sbatti le palpebre, fai un po' l'oca. E tu, Mario, devi spingere sul pedale dell'ambiguità: Dubois è quello che confonde di continuo le acque, perciò sarebbe importante che cambiassi tono a seconda dell'interlocutore. Mieloso, rassicurante, arcigno, sei il camaleonte della situazione, il grande manovratore delle false confidenze. Per esempio, quando parli di Dorante con Araminta, sii più accorato, calca un po' la mano. Dai, riproviamo. Dubois, ovvero Mario Menna, guadagnato il centro della scena ha ripetuto la sua parte come fosse un monologo, con l'aria lamentosa, melodrammatica, che doveva avere. Riferiva ad Araminta – Laura Perrotta in quell'istante fuori scena – che Dorante, travolto dall'amore per lei, aveva perduto il buon senso, lo spirito gioviale, il suo umore accattivante: Tutto gli avevate rapinato! Non penserete che abbia la speranza di essere amato! Per nulla. Dice che non c'è nessuno nell'universo che lo meriti, vuole soltanto vedervi, contemplarvi, guardare i vostri occhi, le vostre bellezze, la vostra magnifica persona e nient'altro. A quel punto mi sono voltata verso Nino, come per dirgli: hai visto? Ma lui se ne stava con gli occhi bassi, a guardarsi le scarpe. Allora, con l'arma dell'enfasi, ho chiesto a tutti che facessero un applauso a Mario, alla sua impeccabile prova di recitazione. Ho cercato di nuovo lo sguardo di Nino, era cupo, assente, infastidito dalla situazione e dalle battute del testo di Marivaux, che gli risuonavano dentro insolenti, spudorate. ARAMINTA C'è qualcosa che non capisco in tutto questo. La persona che amate, la vedete spesso? DORANTE [*sempre abbattuto*] Non tanto spesso come vorrei, signora, e se la vedessi tutti i momenti penserei di non vederla abbastanza.

Oh, che cuore sciocco, aveva esclamato il signor procuratore Remy, che cuore sciocco, cercando di dissuadere il nipote dall'alimentare quell'amore, ma qualche scena dopo Renzo Mancini, nei panni di Arlecchino, è tenuto a confessare che il signor Dorante sta piangendo. Aspetta sulla porta, e piange.

Nino no, lui è stato più forte, ha aspettato sulla porta – gli occhi tristi, rabbiosi, ma senza lacrime. Sei riuscita a umiliarmi, ha detto. E ha atteso una risposta con un tremore del viso, delle labbra che gli dava l'aspetto di un bambino ferito, mascherato da carnevale con un paio di baffi finti incollati agli occhiali. Nessuno voleva umiliarti, non sapevo se saresti venuto, ho cominciato a fare lezione. Potevi chiedermelo. Avresti dovuto dirmelo tu, ho risposto. Hai fatto la tua esibizione di bravura, non ce n'era bisogno, ha reagito. Non dire stronzate. Non si è fermato. Sì, ha detto, sì, lo sappiamo che sei una grande insegnante di recitazione, ma certo deve essere un po' avvilente – ha detto così: *avvilente* – avere per allievi quattro dilettanti in età da ospizio. Ne hai ancora per molto?, gli ho chiesto girandogli le spalle. Aspetta. Cosa devo aspettare? Non ho finito. Sentiamo. Be', Grazia, ascolta, finiscitelo tu questo corso, io non ho più nessuna intenzione di fare la figura dell'idiota a causa tua. Hai ventitré anni e come al solito ne dimostri la metà, Nino, mi stai smuovendo una rabbia che non immagini. Tu non immagini la mia. Ma chi credi di essere, eh Nino? chi cazzo credi di essere? Sei un povero stronzetto come tanti, ti ho dato un'occasione che hai mostrato di non meritare, potevi restartene a Londra vestito da coglione fuori da un ristorante o a lavare i piatti. Ci sono fior di attori anche più giovani di te, anzi diciamola tutta, persone che nella vita potranno dirsi attori, a differenza di te. Non ha detto niente, stava per piangere. Ho continuato: pensi di essere indispensabile a chi? Prova a crescere Nino, prova ad andartene da qualche parte, dove cazzo vuoi, e cresci. Nei suoi occhi ho visto un lampo d'odio, qualcosa che bisognerebbe tradurre con la certezza che– sì, con la certezza che un giorno sarebbe venuto lui al mio funerale. Vaffanculo Grazia, vaffanculo, ha detto, mentre finalmente lo piantavo lì, e mentre Teresa mi veniva incontro. Non mi sono fermata, ho scosso la testa, senza dire niente, ho lasciato che andasse, che lo trovasse lì, sulla porta, a piangere – come Dorante, quasi in ginocchio, Atto III, Scena XII. ARAMINTA Avvicinatevi, Dorante. DORANTE Non oso quasi comparirvi davanti. ARAMINTA [*a parte*] Ah! Non sono davvero più tranquilla di lui. [*A voce alta*] Perché volete farmi una relazione? Mi fido di voi. Non è di questo che devo lamentarmi. DORANTE Ho qualcos'altro da dirvi... sono così imbarazzato, così tremante che non riesco a parlare. ARAMINTA [*a parte, con emozione*] Come finirà tutto questo? Ho una gran paura.

Non mi piace trovarmi in questa situazione, gli ha detto Teresa, restando a un passo da lui – distante, sì, e un po' fredda. Nino sarebbe stato pronto a riconoscere di avere esagerato, se solo lei l'avesse abbracciato – anche solo una carezza, un gesto, qualcosa. Niente. Allora lui ha tenuto il punto, e senza nemmeno asciugarsi gli occhi – lei ne era insieme intenerita e respinta – ha seguitato a tenere il punto, a ribadire, in una prova di forza, che– Senti Nino, l'aveva interrotto, a me tutto questo non interessa, ti pare che posso mettermi a fare da paciere fra voi, o peggio, a dare ragione a uno dei due? È imbarazzante questa situazione, è imbarazzante tutto. *Tutto* cosa?, ha chiesto lui, e ha fatto peggio. Tutto, Nino, tutto. Non ha avuto la faccia tosta di chiederle se si riferisse a quanto c'era stato fra loro, gli è bastata l'allusione per prendere le distanze anche lui, per trattarla con durezza. Pensala come vuoi, le ha detto. Questo è sicuro. E il braccio di ferro si è fermato lì, e sarebbe bastato – basterebbe – sempre così poco per evitarlo. Se solo lui avesse detto qualcosa come: sono nervoso, non sto capendo più niente, se fosse diventato trasparente in modo da lasciar vedere tutte le sue sicurezze ridotte, come dentro una clessidra, a sabbia fine. Benché lei lo sentisse, non era sufficiente, avrebbe dovuto vedere, mettere il dito nella ferita, o almeno sentirsi dire: non mi sento più all'altezza di niente. Nemmeno di quello che provo. Teresa ha approfittato dell'incertezza di Nino – aveva accennato un inutile "va bene, basta" – per aggiungere, come in contropiede: c'è una cosa che dovevo dirti già l'altra sera, mi dispiace dirtela proprio adesso, i medici hanno scoperto una malattia di cui nessuno finora si era accorto, ha fatto una radioterapia alla gamba e la prossima settimana inizierà una chemioterapia, non mi soffermo sui particolari perché non mi pare necessario: è sufficiente la notizia. E qui le si è un po' spezzata la voce, mentre Nino avrebbe voluto chiederle: chi? di chi stai parlando?, pur sapendolo benissimo, perché a volte si ha bisogno di sentirsi ripetere certe frasi – quelle che indicano un sommo e inaspettato bene, quanto quelle che indicano un sommo e sempre inaspettato male.

Era cominciata la primavera, e nemmeno questo era chiaro: non faceva che piovere. Nelle poche ore asciutte, il cielo restava basso e cianotico come quello della Passione nel Vangelo di Luca. La domenica delle Palme Teresa è andata a messa alle nove: da sempre amava, nella liturgia del giorno, la processione con i rametti di ulivo – sventolati in quel coro ambiguo, *Osanna al Figlio di Davide*, e portati a casa, lasciati a seccare il resto dell'anno dietro a un crocifisso o a una Madonna di Loreto. E restava turbata ogni volta dal Vangelo più lungo del solito, letto a più voci, in una recita il cui eterno colpo di teatro è la predizione del rinnegamento di Pietro. *E Pietro si ricordò della parola che il Signore gli aveva detto: Prima che il gallo canti, oggi mi rinnegherai tre volte. E, uscito fuori, pianse amaramente.* Le vecchie, stanche di stare in piedi, a un certo punto si sedevano, fino a che il sole si eclissava, fino a che si squarciava il velo del tempio, fino al grido di Gesù: Nelle tue mani consegno il mio spirito. Allora si inginocchiavano, coprendosi gli occhi con le mani e con un senso del lutto fulmineo, accentuato nei paesi di provincia dai loro perenni abiti neri. La resurrezione, a questo punto, non è che una promessa, tenuta al sicuro dalla ripetizione millenaria dello stesso magnifico racconto. Ma la professione di fede seguiva sempre perentoria: il terzo giorno è resuscitato, secondo le Scritture, è salito al cielo, siede alla destra del Padre. E di nuovo verrà nella gloria per giudicare i vivi e i morti, e il suo regno non avrà fine. Ma Teresa, di quella lunga preghiera, perdeva spesso le parole, si accodava al coro altrui, come quando non sai una canzone. Credo in un solo Dio, Padre onnipotente, creatore del cielo e della terra, di tutte le cose visibili e invisibili... e quanto a quelle visibili, è talvolta a esse che risulta più difficile credere... Dio da Dio, Luce da Luce, Dio vero da Dio vero... e io da chi? Credo nello Spirito Santo, che è Signore e dà la vita, e credo in tutta la vita che è stata (in ogni domenica, una per una, da nonna, la teglia di patate

nel forno – non le ho mangiate più così, che restavano morbi-
de e chiare)... Professo un solo battesimo per il perdono dei
peccati, tutti e uno su tutti, se è un peccato, una debolezza,
una sconfitta, un errore, quello che è stato... Aspetto la resurrezione dei morti e la vita del mondo che verrà, e sì, aspetto,
spesso non faccio e non so fare che questo – io aspetto.

Avrebbe aspettato anche la sua prossima mossa. Così aveva deciso. Era un modo per metterlo alla prova? o un modo per rinviare il momento di guardarsi allo specchio e capire? Le importava andare avanti con lui? Teresa si sentiva confusa, schiacciata dalle domande almeno quanto Nino. Lui era sicuro solo di non volerla perdere, e si era manifestato come al solito, con una proposta concreta – un picnic il lunedì di Pasqua. Ma le previsioni danno pioggia. Non importa, aveva risposto, faremo un picnic in macchina. Come funziona un picnic in macchina? Era riuscito di nuovo a farla ridere. Funziona che parcheggi in un posto, per esempio la terrazza del Gianicolo, apri un paio di tovagliette, e vai avanti finché non hai finito le birre e la scorta di cibo, ti piace? Le aveva spiegato che picnic in macchina era una cosa della sua infanzia, quando eravamo ancora una famiglia andavamo verso i Castelli, prendevamo la pizza e i supplì ad Ariccia, o a Genzano, e restavamo a mangiare chiusi in macchina anche se non pioveva, io in ginocchio sul sedile dietro e con le dita unte, guardando dal lunotto il mondo fuori come da dentro una boule-de-neige. Alla fine papà rimetteva in moto, e tornavamo a casa. Era bello, e intimo, anche senza dire mezza parola. Allora proviamo, aveva detto Teresa.

Vi siete ritrovati a mangiare kebab davanti a un muro d'acqua, a riaccendere il motore di tanto in tanto per scaldarvi un po', mentre la birra e le risate avevano fatto il resto, ridando fiato alla confidenza. Teresa si è sentita così libera e fiduciosa da dirgli: ieri, alla messa di Pasqua, mi ha colpito una cosa detta dal sacerdote... Nella predica?, ha chiesto Nino. Si dice omelia, ha risposto lei. Ha detto una cosa che mi ha fatto pensare a te. In chiesa non dovresti pensare a me. Smettila. Ha detto così: la fede non è difficile – e io non l'avevo mai vista in questi termini. Non è difficile, ha detto, perché la fiducia è naturale alle persone, l'uomo è strutturato per fidarsi. Io per esempio mi fido poco, ha detto Nino. Teresa l'ha rimproverato con gli occhi. Ci stiamo fidando, ha detto, se siamo qui a fare questo picnic in macchina ci stiamo fidando, no? Ma fidarsi non basta, ha aggiunto Nino. No, non basta, l'ha detto anche il prete. Visto?, ha riso lui. Sono pronto per fare il vescovo. Bisogna abbandonarsi al mistero. Vedi perché non vado in chiesa? Perché dicono frasi come queste: *abbandonarsi al mistero*. Che vuol dire? Nino, vuol dire quello che dice – abbandonarsi al mistero. Come in una storia d'amore, avrebbe voluto dirgli. E invece ha tenuto per sé questa frase e la seguente – sul resto dell'omelia. Perché quel prete giovane e straniero aveva detto un'altra cosa bellissima, era sceso dall'altare fermandosi al centro della navata centrale, e aveva chiesto: che cosa pensate che significhi, risorgere? Dopo un lungo silenzio aveva detto: riavere la vostra vita, significa questo. Significa che niente andrà mai perduto.

Avete fatto di nuovo l'amore, è stato bello e diverso. Nino aveva detto: ti va di salire? Teresa aveva risposto: sì, e quando aveva messo piede nella stanza di lui aveva avuto un'impressione di intimità forse più forte che nel vederlo nudo, poco dopo. Per Nino, al contrario, il corpo di lei è stato la novità da contemplare – non aveva potuto che intravederlo, in macchina. Ma adesso lei era lì – stesa sul suo letto, le braccia lungo i fianchi, le gambe strette, qualche piccolo neo, il ciuffo scuro di peli. Teneva gli occhi socchiusi. Teresa, le ha detto, stendendosi accanto a lei. Le ha passato una mano sulla fronte, come per sentirle la febbre.

Dopo, Teresa ha chiesto se poteva fare una doccia, Nino è corso in bagno, l'ha sistemato come meglio ha potuto. Passandole l'asciugamano pulito, si è eccitato di nuovo, ha fatto per baciarla, lei si è spostata ma ha sorriso. Quando il telefono di lei ha squillato, Nino l'ha chiamata dalla camera, lei non ha sentito, lui ha guardato chi fosse, lampeggiava il nome Grazia, ha risposto, ma c'era una voce maschile che ha detto: parlo con la nipote? No, sono– La voce ha continuato dicendo: la signora si è sentita male.

E tutto, anche le foglie che crescono,
anche i figli che nascono,
tutto, finalmente, senza futuro.

GIOVANNI RABONI

È andata così.

Se avrò tempo.

Ogni altro pensiero ha preso a oscillare tra due frasi. È andata così. Se avrò tempo. C'erano molte cose da dire, da dirci. Ma facevo sempre più fatica a parlare. Stava per mancarmi la vita: trovavo spesso insopportabile l'altrui. I pensieri cattivi lavoravano nella mente, tirannici come la malattia. Mi uscivano di colpo, senza controllo. Offensivi e ricattatori. E tu mi parli di questo, mi ero sorpresa a dire a un'amica venuta a trovarmi. Stava organizzando un viaggio. Lo dicevo per distrarti, si era giustificata. Aveva abbassato gli occhi. Restavo sola, mi calmavo. Avrei voluto telefonarle. Ciao. Ciao Silvana, e scusa. E così per tutti gli altri, così per ogni cosa. Ciao gente che ho chiamato amica. Ciao gloriose teste di cazzo che continuerete a vivere. Ma poi le visite, le analisi, le terapie – tutto allenta, rinvia, confonde. Il punto del congedo si sposta. Appare, scompare. Ricompare più lontano di un mese, di un anno. Si riavvicina. Non dà tempo per il teatro. Ciao pioggia sui finestrini dei treni regionali. Perché poi arrivano i valori segnati su un foglio. I medici con le loro profezie. La prima cosa che sembrava già un ricordo era il gusto del cibo. Dopo giorni di sole flebo – era fine aprile, la luce fuori riusciva a forzare i vetri schermati della stanza – avevo addentato una mela. Il palato si era come svegliato. Il miracolo di una lingua che sente. Marmellata, pomodoro, pane fresco. A Teresa era sembrato un segno di ripresa. Avevo sorriso. Una cazzo di mela, era così poco, era tantissimo. Era un'illusione. Ciao telefoni che seguiterete a squillare. A volte l'urgenza di sentire qualcuno mi spingeva a fare numeri anche la sera tardi, la mattina presto. Come stai?, chiedevano. È sempre la prima domanda. È sempre quella a cui più fatichiamo a rispondere. Bene. Abbastanza. Non ci lamentiamo. Rispondevo: male. Sentivo l'impaccio, lo scavalcavo con una richiesta: raccontami qualcosa. Chi è causa del suo mal, pensavo – mentre arrivavano all'orecchio notizie fresche dal mondo dei sani, dei vivi. Ciao merli sulle ringhiere dei balconi, del *mio* balcone. Piantina di basilico. Ogni genere di cosa che cresce, che continuerà a crescere. Avevo lasciato la vita ordinaria come una casa incendiata. Ne soffrivo, incredula, risentita. Soffrivo per ogni cosa interrotta di colpo. Non erano solo progetti, possibilità. Era tutto ciò che *stavo facendo*, la mia vita al presente. Colazioni del mattino, telegiornali. C'era intanto da sospendere il corso di teatro, e trovare un sostituto. Non era grave. Tutto si mostrava pronto a continuare senza di me. Questo metteva addosso molta rabbia, e insieme una sconosciuta, superiore pace. Né era vero – come qualcuno diceva – che la malattia costringeva a dare peso alle cose "realmente importanti". No. Importanti lo erano tutte. Tutte, comprese le più futili. Cipria, rossetti, appuntamenti dal parrucchiere, filmacci da ridere. Grazia, pareva dicessero in coro, noi siamo qui, restiamo qui, e tu? Ciao vanità. Trucchi con cui ho tentato di cancellare anch'io il lavoro del tempo sulla mia faccia. Profumi: il gesto di spruzzarvi prima di uscire, mi mancherà. Mi stavo rendendo conto che parecchie cose erano già, da tempo, finite, prima che finisse tutto. Non c'entrava la malattia con l'evidente impossibilità che nella mia carriera di attrice accadesse qualcosa di nuovo. Capitolo chiuso. E chiuso altrettanto era il capitolo degli innamoramenti – l'ultima volta risaliva a quando? La famosa notte dei tempi. Via, via. Non c'era una sola persona al mondo che avrei lasciato, morendo, a metà di una strada. Nessuno da accudire. Era un capitolo chiuso l'essere figlia. Era un capitolo chiuso l'essere madre, peraltro mai nemmeno aperto. E una sorella, i parenti lontani, gli amici: avrebbero tutti continuato a prendere i loro treni, proseguito il viaggio senza la vecchia zia solitaria, eccentrica, ruvida. Senza l'intermittenza da lucina natalizia con cui si manifestava nelle loro vite. Potevano passare mesi, stagioni, anni di silenzio: mi aspettavo sempre – riaffacciandomi all'improvviso – che la confidenza non fosse consumata. E gli allievi? I nuovi non avrebbero saputo niente di me. I vecchi, be', loro– chissà, a un anno dalla morte avrebbero magari messo su una lugubre commemorazione. Vestiti di nero come corvi, con un sentimento commosso che sarebbe cresciuto e poi esploso, da dentro il rito, da dentro la recita, come è giusto che sia, avrebbero detto che Grazia– oh, Grazia, non ci ha insegnato a recitare, ci ha insegnato a respirare. Non era vero. Ma ai morti è più facile attribuire qualcosa in più, anziché qualcosa in meno. Vi lascio, assi di legno dei palcoscenici, velluto delle poltrone, teatri del mondo.

Restava dunque aperto solo ciò che riguardava voi due, Nino e Teresa, dal punto in cui non potevo più spiare, dedurre, anche solo immaginare. No, non ero preoccupata per lo spettacolo, sarebbe andato in scena senza intoppi, l'entusiasmo di amici e parenti avrebbe esaltato i vecchi attori e il giovane regista, colmato le distanze, cancellato le rabbie. Né ero preoccupata per il vostro futuro: Nino si sarebbe inventato qualcosa – il canale YouTube con le stronzate, un laboratorio per bambini, l'animazione in qualche albergo o centro commerciale. Teresa avrebbe presto trovato altro, lasciandosi guidare da una maggiore confidenza con la città e con sé stessa dentro una città. Restava aperto ciò che riguardava voi due insieme, le vostre giovinezze diverse, dal punto in cui si erano annodate. Mi dispiaceva andarmene soprattutto per questa condanna all'ignoranza, al non sapere più niente di questa storia allo stato nascente. Avrei voluto dirvi che era bello vedervi insieme – eravate bellissimi, sì, e lo spettacolo della giovinezza, agli occhi di chi l'ha perduta, è sempre un miracolo che fa tremare e incazzare, anche. Ma se c'è tristezza, è sempre per sé stessi, non per voi, mai, da esseri umani, così poco deludenti e in possesso dell'unica ricchezza che si possa invidiare sul serio – il tempo che si ha davanti. Era bello vedervi immersi in ciò che non potevo riavere, meravigliosa confusione del corpo e della mente, incertezza e slancio, coglioneria totale, inesperienza e feroce presunzione, capacità di sentire e godere. Ero felice, non ve l'ho detto, che vi foste incontrati – due fra miliardi di esseri umani, quel lunedì pomeriggio di fine ottobre dopo le sette – e che non vi foste persi subito.

Assecondando la corrente che scava l'estraneità e la trasforma in confidenza, che fa diventare due sconosciuti meno sconosciuti. Camminando verso un cinema, Nino che dice: giochiamo. A cosa? A rovesciare i punti di vista. Una giornata di pioggia vista con gli occhi di un venditore di ombrelli.

L'efficienza norvegese secondo un salmone. Il Giorno del Ringraziamento visto dal tacchino. Teresa che dice: se io fossi una città, che città sarei? Saresti Lisbona d'estate.

Curioso che proprio la mia malattia vi mettesse alla prova: Nino ne ha messo a fuoco tardi la gravità, mi ha scritto un messaggio lunghissimo, chiedeva scusa. Mi fai incazzare di più, gli ho risposto, scusa di che? Scusa di tutto. Ma dava l'impressione di uno che non riesca a contemplare fino in fondo l'esito peggiore di qualcosa, qualcosa come una malattia. Il peggiore, ovvero l'irreparabile. Era il meno realista e dunque il più speranzoso: il che non vuol dire apertamente ottimista, solo che non spingeva mai il pensiero laggiù, nell'estremo. Si fermava un attimo prima, dove domani continua a venire senza intoppi dopo oggi. Teresa l'aveva presa peggio, divisa tra il sentirsi la parente a questo punto più prossima, quella tenuta – più che costretta – a seguire ora per ora il decorso, l'andamento delle cure e delle speranze, a fare fronte a ogni sorta di questione pratica, divisa tra questo e il malessere che l'aveva invasa, il senso di ingiustizia, la rabbia. Nino provava a starle accanto, intromettendosi anche dove lei non avrebbe voluto: così veniva respinto, lei gli rammentava che non era obbligato a presentarsi praticamente ogni sera alla fermata del tram fuori dall'ospedale. Non aveva voglia, né tempo, di pensare se quella sua dedizione le facesse piacere, e se in quella primavera così infame e buia potesse essere un reale sollievo per lei. Non aveva voglia nemmeno di ridere, quando lui provava a distrarla, e questo era tutto. Legava a lui il piccolo senso di colpa nato dall'essersi trovati insieme – nudi, distratti da tutto – mentre io avevo il mio primo crollo. Così, si erano interrotti i baci e il resto, lei si era chiusa in un guscio, lui provava a farle sentire calore senza toccarla.

Una sera – una delle ultime mie – avete preso il tram insieme. Teresa era appena uscita dall'ospedale, Nino l'aveva aspettata fuori. Facciamo una passeggiata in centro?, ha proposto lui. Teresa ha risposto con un'altra domanda: perché non entri mai? Non mi va di vederla così, ha risposto Nino. Così come? Così, malata. È un atteggiamento un po' sciocco, un po' infantile, ha detto lei. Forse sì, non importa, io rivedrò Grazia quando uscirà dall'ospedale. Teresa è rimasta zitta il tempo tra una fermata e l'altra, guardando davanti a sé, poi si è voltata verso di lui, di scatto e con una durezza nello sguardo che non le aveva mai visto prima. Ma l'hai capito che potrebbe non uscire da quel cazzo di ospedale? Non mi va di pensarci. Tu pensi solo a quello che ti fa comodo pensare o che non ti spaventa troppo, no? È sempre così. Teresa, ha detto lui, ma perché non provi a– A cosa, a fare cosa? Niente, scusa. A credere in Dio, a credere, avrebbe voluto dirle, ma non ha detto niente. L'ha guardata con una tristezza che, tradotta in parole, avrebbe significato: come faccio a consolarti *io*? Lei ha provato a fidarsi del tempo insieme, ha lasciato cadere l'argomento, ha detto: ti porto a vedere una cosa. Lui ha respirato, sollevato nel sentirsi proporre uno svago. Però dobbiamo prendere anche un autobus. Avete attraversato piazza della Repubblica sotto un tramonto maestoso. Teresa ha letto in quella luce un indizio d'estate, e sentito una stretta allo stomaco. Ce la potremo mai permettere una notte qui?, ha chiesto Nino passando davanti al Grand Hotel. Ed è stata, dopo molte settimane, la prima frase che potesse suonare come un'allusione all'amore che non avevate più fatto. Quando saremo ricchi, ha risposto Teresa, e l'ha lasciata cadere. Vi siete ritrovati davanti alla chiesa che fa angolo con via Bissolati, Nino non ha chiesto niente. L'ha seguita incerto mentre entrava e, dopo un segno di croce, percorreva a passi svelti la navata centrale. Si è accostata a una cappella alla sinistra dell'altare, gli ha detto: guarda. Lui ha alzato gli occhi, e in quel piccolo teatro – le quinte di raggi d'oro, dai palchetti intorno si affacciano, per guardare, uomini barbuti – ha visto un angelo giovane pronto a trafiggere con una freccia una donna con il capo coperto come una suora, stravolta e arresa, la bocca aperta, gli occhi socchiusi. L'angelo giovane sorride. Cos'è?, ha chiesto Nino. Bernini, ha risposto Teresa. È andata a sedersi, lui è rimasto ancora un po' a contemplare il volto della donna – bianco, lucidissimo, di un marmo che pareva muoversi, come carne percorsa dal piacere. Poi si è seduto anche lui, avrebbe voluto cingerla con un braccio, dirle: insegnami a pregare. Invece ha ripetuto: cos'è? Lei gli ha raccontato sottovoce un pezzo di quella storia – la santa che porta il suo nome, lo scultore prodigioso, quel miracolo di bellezza viva e sensuale, nient'affatto casta, che lui considerava l'opera migliore fra tutte le sue opere. Uno dei pochi segreti di Roma che poteva dire di conoscere. Le sembrava prezioso, aveva voglia di condividerlo. Lui – stranito, turbato – ha detto soltanto: grazie di avermi portato qui. Lei si è avvicinata al suo orecchio con le labbra – Nino ha sentito il respiro vicinissimo – e in sussurro ha detto: la vedi quella scritta in latino, lassù, tenuta in mano dalla piccola folla di angeli? Dice così: se non avessi creato il paradiso, lo farei anche ora solo per te.

Sembra una dichiarazione d'amore, ha detto Nino. È una dichiarazione d'amore, ha detto Teresa.

Tutto il resto, fuori, dopo, è stato un tempo vorticoso e cattivo, non ha lasciato spazio a niente, a quasi niente che non fosse panico e dolore. È andata così, era mattina presto, l'ora del giorno che preferisco – ho intravisto il cielo di Roma alla fine di aprile o forse l'ho solo sognato. Nino avrebbe voluto tenerle la mano, e stringerla: al funerale, quando il prete ha ripetuto quella frase che dice "chi crede in me avrà la vita eterna", si è accorto che Teresa piangeva. Come se avesse perso tutto. E mentre quell'aggettivo – eterna – gli sembrava un inganno, ha stretto così forte gli occhi, così forte sentito battere le tempie, che ha pensato: forse deve essere questo – pregare. Non si è rivolto a Dio, ha solo sperato, o richiesto, che non le accadesse niente di male. Ha pregato per il suo bene.

Fuori dalla chiesa, la luce era abbagliante e calda e indifferente. Aprile trema. Il più crudele dei mesi? o il più dolce? Uscirne, per voi, è stato più faticoso che per me, chiamare di nuovo normali le giornate, convincervi che avesse ancora senso cercarvi, e trovarvi, senza passare dal teatro o da me. Mi avete, senza volerlo, evocata, chiamata in causa come responsabile, o colpevole, del vostro incontro. Vi siete chiesti cosa avrei detto, cosa avrei consigliato, voluto. Lo avete chiesto a me, anche se non era più possibile farlo davvero, lo avete chiesto con intensità, con disperazione, e solo dopo molto tempo, com'era giusto, con allegria: da silenzio a silenzio, come una preghiera. Mi avete chiesto di schiarirvi l'orizzonte, come se io, da qui, potessi fare altro che non sia contemplare la meraviglia del vostro essere vivi, e vegliare, come si dice di un'attesa, di un tempo che ci sta a cuore.

Ci sono molte porte da cui entrare nella vostra vita. Ne apro una, mi affaccio, guardo qualcosa, poi la chiudo. Mi è dato – da qui – ripercorrere, osservare, riavvolgere il nastro, ripassare ogni istante, fermando ogni tanto l'immagine, tornando un po' indietro, ogni tanto, per capire meglio qualcosa, per assaporare, per entrare anche dove era precluso, dove non ero, per non perdere il filo – di un tempo che più non è mio, ma dove tutto ricomincia, se lo chiedi. Rimetti la verdura sul fuoco. Ripassami quella telefonata dall'altra stanza, ancora. Prepara le catene per il viaggio, sta per nevicare. Bussa di nuovo in camera mia mentre piango. Riportami quel regalo che non gradirò. Rimettiti a cantare quella canzone.

Vorrei dirvi molte cose, anche se nessuna è indispensabile: di godervi le cose, questo sì, e – come Phileas Fogg nel suo giro del mondo – di non avere fretta, o paura di fallire. Sono cose da vecchia zia, e d'altra parte non posso smettere di essere quello che ero, di parlare come parlavo, sono ancora questa voce che a volte vi torna nell'orecchio, è rimasta lì, si fa viva mentre state per prendere sonno. E no, per favore, non cominciate a dire che senza di me non ce la fate, perché non è vero e perché l'unico segno meno che va accettato riguarda proprio chi muore. Tutti meno uno più qualcuno rimette quasi a posto i conti. E fatevi la risata che dovete farvi ricordando le mie sparate a zero, le mie botte di sincerità, quando mi incaponivo e riuscivo a farvi arrabbiare, testarda che non cedeva mai di un millimetro, Grazia per favore non insistere!, e io che rispondevo: poi vedrai, come se la sapessi sempre un po' più lunga, perché lunga è stata comunque la mia vita, anche se è finita presto, come il giro del mondo in ottanta giorni, hanno avuto il loro peso gli orari e i mezzi di trasporto, è stata una scommessa e una bella avventura, faticosa, intensa e pure affollata, come SS. Aquila e Priscilla il giorno del funerale. E se uno deve credere ai segni, ecco, se uno deve proprio credere ai segni, quando il guardiano si è fatto la croce, io ho pensato: non potevo che morire d'aprile – quando qualcosa comincia, e torna a fare promesse.

È di nuovo l'alba, sta piovendo, piove a dirotto, la Panda di Nino è parcheggiata sotto casa di Teresa. Lui si è fatto avanti, le ha detto: adesso però partiamo. Anche solo due giorni. Per favore. Lei ha risposto: mi sembra presto. Presto per cosa? Presto per tutto. Presto per partire. Presto per quello che è successo. È anche perché hai paura?, ha chiesto lui. Non mi hai detto nemmeno dove vorresti andare. Pensavo al luogo da cui può cominciare un giro del mondo. Non mi pare la città giusta, ha risposto lei. Nino, lasciamo stare. Perché Londra non va bene? Dovresti capirlo da solo, ha risposto Teresa. E qui lui per la prima volta ha sentito che c'era in lei– poteva dire gelosia? È finita lì, non ha nemmeno insistito. I biglietti, dopo due giorni, li ha fatti lo stesso, glieli ha girati con una mail spiritosa che diceva: dall'agente di viaggi all'agente di viaggi. Lei l'ha chiamato, incazzata. Li hai fatti senza dirmelo. Per me puoi pure bruciarli. Oppure trovati qualcuno che venga con te al posto mio. Ha riattaccato. Lui l'ha richiamata più volte, lei non ha risposto. Lui le ha scritto: per favore. Lei ha risposto: sei un ragazzino, lasciami in pace. Lui le ha scritto: io venerdì mattina, alle sei e mezzo, sarò sotto casa tua.

Ed eccolo lì, con le mani sul volante anche se la macchina è ferma, speranzoso, ostinato, mentre continua a piovere, piove senza tregua. Nino alza lo sguardo, vede solo una macchia di luce, come dalla bolla di una lacrima. Aspetta. Sente che non potrebbe stare in nessun altro luogo del mondo, ma solo lì, nella Panda in cui hanno fatto l'amore. Solo lì, dentro quell'attesa così simile a un rischio, a una prepotenza, a una dichiarazione d'amore.

Teatro Monteverde Roma

Domenica 26 maggio 2013 ore 21

La Scuola di Teatro "Grazia Palazzi" presenta
il saggio di fine corso degli Allievi Senior

LE FALSE CONFIDENZE

Commedia in tre atti di MARIVAUX

Laura Perrotta *Araminta*
Giancarlo Righi *Dorante*
Luciana Donati *Marton*
Renzo Mancini *Arlecchino*
Mario Menna *Dubois*
Ottavio Semprini *Remy, il procuratore*
Carla Papetti *la signora Argante*
Massimo Leone *il Conte*

Scene Filippo Magi
Costumi Sartoria Gentile
Luci Thomas Marangoni

Regia NINO MORANTE

Debiti

Pierre de Marivaux, *Le false confidenze* (citato nella traduzione di Sandro Bajini, Garzanti 1987). Jules Verne, *Il giro
del mondo in ottanta giorni* (citato nella traduzione di Stefano Valenti, Feltrinelli 2014). Walter Benjamin, *Infanzia berli-
nese intorno al millenovecento*. Erminia Dell'Oro, *Filastroc-
che al ballo del Perché*. Philip Larkin, *Finestre alte*. Giovanni
Raboni, *Barlumi di storia*.

Jacques Brel canta *La chanson des vieux amants*. The Lu-
mineers cantano *Ho Hey*.

"Aprile trema" è un verso di Giorgio Caproni (*Versi dida-
scalici*). Alcuni versi di Raboni, da *Barlumi di storia* ("Si farà
una gran fatica..."), sono stati di grande ispirazione e sono
ripresi nel capitolo finale, mescolati alle parole di Grazia. Nel
lungo dialogo fra Nino e Teresa, una battuta è rubata a Jona-
than Safran Foer.

p.d.p.